Angel Therapy®
handbook

エンジェルセラピー ハンドブック

ドリーン・バーチュー 著
宇佐 和通 訳

エンジェルセラピーのはじまり

さびしくて仕方がなかったとき。悲しかったとき。体調がすぐれないときや、怖かったとき。子どもの頃の私は、いつも天使とつながっていました。天使は、クリスマスツリーを飾るライトのような光という姿で現れ、私の周りで踊って見せてくれました。この世のものとは思えない美しい音色を耳にしたとき、子ども心にも別の次元から来た存在であることが感じられました。天使についてひとつだけ理解できたのは、一緒にいると心が落ち着き、安らぐということです。

私が育てられたのは、伝統的なキリスト教徒の家庭ではありません。聖書に記されたイエスの癒しを、前向きな言葉で確認するアファメーションや、具体的なイメージとして脳裏に思い浮かべるビジュアライゼーションとあわせて学ぶという教育を受けました。両親は、信仰を日々の暮らしで使うものとして役立てていました。たとえば、乗っている車がすっかり古くなって新しい車を手に入れる必要が生じたとき、両親は、兄と私に、新しい車が家の前に停まっているところを想像するよう言いました。そして父は、欲しい車のミニカー（自分好みの茶色に塗りました）を買ってきました。しばらく経つと、家族全員が思い描いたとおりの、茶色い車を手に入れることができたのです。

母は、病気や怪我を祈りで癒してくれました。洗濯機や車が壊れたときも、祈りを捧げると、再び動き始めました。私たちが捧げる祈りは、すべて神とイエスに向けられたものです。当時の私たちにとって、天使という言葉を思い出すのはクリスマスやバレンタインデーだけであり、決して大きな意味を持つ存在ではありませんでした。

私は、子ども時代を通じて天使との絆を強くしていきました。踊る光という姿で訪れてくれることに加え、夢の中でも会うようになりました。賢人が世界のあちこちやほかの惑星を案内してくれた鮮やかな夢は、大人になった今でも忘れられません。特に印象に残っているのは、この賢人が赤道に連れて行ってくれて、溶岩があふれるように流れる真っ赤な川を見せてくれた夢です。

６歳か７歳のある日、日曜学校に行くため家族で通っていた教会の前の道を歩いていたときのことです。別次元に宿る天使のエネルギーが、私の体を通り抜ける感覚がありました。体が浮き上がるような気がして、ふと真下を見た私は驚いてしまいました。自分が立っていたのです。ほんの一瞬だけ時間の流れが止まったように感じられ、どこからともなく男の人の声が聞こえてきました。自分の姿をよく見るように、と言っています。そして、声はこう続けました。

心と体を分けること、これがあなたの目的です。

気がつくと、すべて元に戻っていましたが、まだ子どもだった私には何が起きたのかまったくわかりませんでした。

これまでの人生で、何回となく天使が訪れてくれました。ほかの人たちが見えないものをはっきり見ることもありました。幼い頃から霊感体質だったことに気づいたのは、大人になってからです。

変わっていることや、人とちがうことが原因でからかわれることもありました。内気で霊感が強い子どもだった私が、自分の奇妙な体験をほかの人に話すことはほとんどありませんでした。余計なことを話して、仲間はずれにされるのがいやだったからです。

でも、〝ガイド〟たちとはよく言葉を交わしました。パーティーばかりしていた若い頃、〝人生をごみ箱に捨てるような態度で、無駄に生きている〟とはっきり指摘されたこともあります。重い響きの言葉でした。そして私は考え直し、行いを改めることにしました。数年後、ワインを口にし始めたときには「アルコールはやめて『ア・コース・イン・ミラクルズ』（日本語版『奇跡のコース』発行元：ナチュラルスピリット）を勉強しなさい」と言うはっきりした声を聞きました。私は、自分が得る喜びと利益を考え、声に従いました。

トラブルに巻き込まれたときには、いつもガイドたちが助けてくれました。若いうちに子どもを持った私は、お金の苦労を強いられました。でも、支払いや食費に困っていると、必ず必要なだけのお金が手に入ったのです。百ドル札を拾ったり、コンテストで優勝したりしてぎりぎりのタイミングでお金が手に入り、食べ物を買って、家賃を支払うことができました。

私が健やかに暮らし、幸せでいられるように、天使たちが手を差し伸べてくれたのでしょう。それでも、私が自分で体験した聖なる導きやビジョンについて語るのは、ごく親しい人々だけでした。

私は、二人の息子を育てながら昼間は保険会社で働き、夜は大学に通って勉強しました。厳しいスケジュールでしたが、心理学を学ぶのは導きであると感じ、思いを貫きました。そしてカリフォルニア州オレンジのチャップマン大学を卒業し、カウンセリング心理学で学士号と修士号を取得しました。大学に通いながら、ボランティア・スタッフとしてカリフォルニア州パームデールにあるアルコール依存症／薬物乱用患者集中治療センターに入り、その後正式に雇用されて、専属のカウンセラーとして働き始めました。

パームデールの病院を辞めた後、カリフォルニア州ランカスターにある〝ティーン・アルコール・アンド・ドラッグ・アビューズ・センター〟（TADAC ＝十代の若者のためのアルコール／薬物乱用センター）の所長となりましたが、その頃の私は摂食障害患者へのカウンセリングに強い興味を感じていたので、結局はこの職を辞して、ランカスターの精神科医ジョン・ベック博士の下で働くことにしました。ベック博士は、〝ビクトリー・ウェイト・マネジメント〟という摂食障害外来センターを開設することに尽力してくれました。私はこの施設で、カウンセリングとビジュアライゼーション、そしてアファメーションを通じて強制過食を癒す方法を確立しました。患者さんに〝リーディング〟(霊感によってメッセージを受けること）を行うこともありましたが、霊感によって受けた情報であることは明かしませんでした。

やがて、〝ビクトリー・ウェイト・マネジメント〟での症例をまとめた『The Yo-Yo Diet Syndrome』（『ヨーヨーダイエット症候群』）というタイトルの本が、ハーパー・コリンズ社から出版されることになりました。この本がきっかけとなって名前が知られるようになり、マスコミからインタビューを申し込まれ、摂食障害について話をすることが多くなりました。講演会があまりにも忙しくなってしまい、患者さんと会う時間も、センター運営に充てる時間もなくなってしまうという状態に陥り、パートナーとして働いていたセラピストに後を任せることにしました。空いた時間は執筆と症例の研究、そして講演に費やしました。

私はその後も摂食障害と人間関係に関する本や記事を書き続け、『ドナヒュー』や『ジェラルド』、『リッキー・レイク』といったテレビのトークショーやラジオ番組にも多数出演しました。これと並行してアメリカ全土で講演を行っていたので、ロサンゼルス空港のユナイテッド航空のカウンターで名前を覚えてもらうまでになりました。一日に何千という単位の人々が行き交う発券カウンターで名前を覚えられるというのは、驚くべきことです。

表面的に考えれば、私は成功を手にしていましたが、なぜか心が満たされることはありませんでした。中身が空っぽのような気がして仕方がなかったのです。人生の目的の指標を見失った状態でした。ほかの人を助けている実感はありましたが、それがすべてとは思えません。その後いくつかの病院やクリニックで働きましたが、まるで小さな車輪を走り続けるハムスターのように、自分自身に追いつけない焦燥感にいつも悩まされていました。気分が沈む日が多くなりましたが、解決策が見つかりません。

一対一で患者さんと向き合うスタイルが合うかもしれないと思った私は、それまで勤めていた病院やクリニックを辞め、電話相談という形でカウンセリングを始めることにしました。自分が本当にやりたいことに少しだけ近づいた実感がありましたが、それでも満たされない部分が残っているのがわかりました。意味と目的を探し求めるときに生まれる〝実存的不安〟であることは確かでした。自分がしていることに意味があるという事実を確かめたいという願望です。

その頃の私は、内なる声が伝えてくれるスピリチュアルな話題に関する導きを受け続けていました。ただ、積極的に受け容れる気にはなれません。変わっているとからかわれた子どもの頃の記憶が邪魔をしたのです。そこで、自分の中でバランスを取るため、自分の本や、執筆を任されている記事にスピリチュアリティーの原則を盛り込むことにしました。でも、少し経つと、〝正常さ〟を前面に押し出しながら仕事をしていくことと、自分の内側で沸き上がる物足りなさとのバランスを取るのが難しくなっていくのです。

世の中には、劇的な形で最悪の状況を体験しなければならない人々がいるようです。そういう形でなければ、内なる導きをはっきりと自覚し、真摯な態度で耳を傾けることができないのです。私自身もその一人でした。私が目覚めさせられたのは、1995年7月15日です。この日以来、私の人生は変わりました。

その日私は、当時住んでいたカリフォルニア州ニューポートビーチの家で、出かけるために支度をしていました。すると、何の前触れもなく、右耳に、いきなり大きな声が響きました。

「車のルーフはきちんとしておいたほうがいいですよ。そうしないと盗まれてしまうかもしれません」

声が告げていることの意味はよくわかりました。私の車は白いBMWの325iで、ガレージに入れるときにはいつもルーフを開け、オープンカーの状態にしてあったのです。ルーフが開いたままの状態だと、白いシートが目立ち、よからぬ思いを持つ人を惹きつけてしまう可能性もありました。でも、古くなってしまったルーフをかぶせておけば、人目を惹くほどの車ではありません。

私は、内なる声のメッセージには反論せず、耳を傾けることにしています。内なる声とのコミュニケーションを否定したこともありません。だからこのときも、理路整然と説明することを選びました。じつは、ルーフを動かすモーターが壊れていて、動かしたくても、動かせませんでした。

声は、反論しませんでした。同じ言葉を繰り返し伝えてくるだけです。

「車のルーフはきちんとしておいたほうがいいですよ。そうしないと盗まれてしまうかもしれません」

私も、動かないという〝事実〟をもう一度伝えました。すると声は「グラントに見てもらいなさい」と言いました。

これを聞いた私は驚きました。誰かがどこからか私を見ていることはまちがいありません。声、いや天使は、息子のグラントがそのとき自分の部屋にいることを知っていたのです。確かに、グラントに頼めばルーフを動かすことができたかもしれません。

でも、声とやりとりしているうちに時間が過ぎ、私は落ち着きを失ってしまいました。すでに、教会に行く時間に遅れているのです。グラントに「行ってきます」と言った私は家から走り出て、何も起きないことを祈りながら教会に向かいました。同時に、自分の車が白い光で包まれているところを思い浮かべました。こうすれば、天使に対して祈りを捧げるのと同じであることを知っていたからです。天使は、知能を持って生きる白い光なのです。

カリフォルニア州アナハイムのリンカーン・ストリートを走っていた私は、周囲の空気にとても重い負のエネルギーを感じました。まるで、体と車に毒気を浴びせられたような感覚です。見つかった！ 最初に思い浮かんだのがこの言葉でした。ほんの一瞬、照準にとらえられた獲物の姿が脳裏をよぎりました。教会の駐車場に車を入れながら、私は必死に祈りました。

車を停め、キーを抜いて、教会で使おうと思っていたテープレコーダーとバッグと一緒に持ち、外に出て立った瞬間、背後で大きな男の声がしました。荒い言葉を吐き、車のキーとバッグをよこせと言っています。

振り向くと、その男は拳銃のようなものを持っていました。男の横にはエンジンをかけたままの車が停まっていて、運転席に別の男が座っていました。

男の背が私よりも低いことはわかりました。見開いた両目は恐れの感情で満たされていました。おそらく、私の背が高いことを予期していなかったのでしょう（私の身長は175センチで、その日はハイヒールを履いていました）。それは直感でわかりました。それに、すでに自分の行為にうしろめたさを感じ始めていたようでした。

キーを渡してしまったら、経済的に大きな痛手になるのは当然です。ローンも終わり、支払いが必要なのは損害賠償の保険料だけでした。でも、車両保険には加入していなかったので、盗まれてしまったら何の補償もありません。そのまま盗られてしまうわけにはいきませんでした。

そのとき、内なる声が再び話しかけてきました。

「ドリーン、力の限り叫びなさい！」

と言われた私は、すぐにその通りにしました。お腹に力を入れて、ありったけの声を振り絞って叫びました。まるで、自分の中にいる人類の祖先があげたような叫び声です。目の前に立っている男の目が見る見る大きくなり、後ずさりを始めました。

私は、男に向かってテープレコーダーを投げつけました。さらに叫び続けていると、駐車場にあった車の中の女性がこちらを見て、状況をわかってくれました。クラクションを鳴らして注意を惹き、それを聞いた大勢の人が教会の建物から出てきました。多くの人があちこちから来るのを見た男は、待たせていた車に飛び乗って駐車場から出て行きました。

私は、ショックと感謝の念で、膝から崩れ落ちてしまいました。まだ生きている。まだ車のキーもあるし、バッグもある。ものすごいスピードで回る意識の中、私はあの声が言っていたことを思い出しました。1時間前に家を出るときに、何が起きるのかを知っていた声は、それを知らせていたのです。天使の警告を軽んじて、進んで危険な状態に踏み入れた自分が腹立たしく、とても小さな存在に思えました。この日以来、私は真摯な態度で内なる導きと向き合うことを誓いました。導きの内容は明らかでした。天使が本物で、実在するという事実をできるだけ早く、できるだけ多くの人に伝える、それが私の使命でした。

翌日、つまり1995年7月16日は、新しく出た『Constant Cravings』(『終わらない欲求』)という本のサイン会がありました。場所は、ラスベガスで行われていたヘルスフードに関する展示会場の一角です。当時の私は、人前に出るときにはビジネススーツを愛用していたのですが、この日に限っては〝女神のような〟ドレスに水晶のネックレスを合わせました。そうすることで、長年抑えてきたスピリチュアリティーへの傾倒を表現しようとしました。本当の自分を見せるときが来たのです。

そして、自分が相談を受ける相手に対しても、執筆を担当する雑誌の記事でも、天使について積極的に話すようになりました。テレビやラジオの番組も、神や天使について話ができることを条件に出演するよう心がけました。『リーザ・ギボンス』や『ドニー＆マリー』、『ロザンヌ・バー』、そして『ザ・ビュー』といった番組が私の意図を汲み取ってくれました。それ以外の番組では出演がなくなりましたが、ひるんではいられません。私は導きに従い、できるだけ多くの人々に天使について知らせることを心に決めたのです。

多くのクライアントと接していく中で、天使の助けによって感情的な問題を短時間で解決できることがわかってきました。特に記憶に残っているのは、マーサという女性です。摂食障害に悩む彼女に対するカウンセリング（伝統的手法のものです）は、すでに1年近く続いていました。そもそも彼女は北カリフォルニア出身でしたが、南カリフォルニアに移ってきて小学校の教頭を務めていました。一家で初めて大学を卒業し、初めて管理職に就いたということが、彼女のプライドの源でした。

ある日マーサは、職場で倒れてしまいました。医師に背中の手術を薦められましたが、麻酔と手術の影響を心配し、理由をつけては遅らせていました。健康を取り戻すためにカイロプラクティックやマッサージ、そしてレイキ治療などさまざまな方法を試しましたが、痛みが取れることはありませんでした。そしてとうとう寝たきりに近い状態になり、歩くときにも杖が手放せなくなってしまったのです。

強盗に襲われて以来、私はクライアントと会うときにも必ず天使にそばにいてもらうようにしていました。もちろん、マーサと話をしているときにも、すぐそばに天使がいました。決心を固め、手術の何日か前に会いに来たマーサに向かって、私はこう言いました。

「背中のことで天使と話ができたとしたら、何を言われたと思う？」

私はすでに、彼女に付いている天使からメッセージを受け取っていました。天使たちは、マーサ自身に自分たちの言葉を聞く方法を知ってもらいたかったのです。天使たちは、私にこう語りかけてきました。

「私たちのメッセージをあなたに伝えてもらっても、彼女は信じないでしょう。でも、自分の耳で聞けば心から信じ、メッセージに従うにちがいありません」

マーサは「天使の声なんて聞こえません」と言い続けていました。私の耳には、マーサを優しく説得するよう導く声が聞こえていました。

「マーサ、もし天使の声が聞こえるとしたら、背中について何を言うと思う？」

天使たちは、自分で何かを想像するよう仕向ける質問がマーサの気持ちを落ち着かせると言っていました。しかし私はあえて、きわめて現実的な質問をぶつけました。

やがてマーサは、ため息をつきながら答えました。

「きっと、自分に合わない仕事をしていると言われるでしょう。今の私は、家族とかけ離れたところで生きています」

今度は私がため息をつく番でした。天使たちも、まったく同じことを言っていたからです。天使たちがマーサと私に向かって拍手をしていることを感じ、その音を聞き、その姿を見ることができました。このとき、私は初めてほかの誰かが天使の声を聞くのを手伝いました。

メッセージの内容は、的を射ていました。マーサも、務めている学校の環境に問題を感じていたようです。それでも､辞めるなど恐ろしくてできません。家族のみんながマーサの仕事を誇りにしていたからです。

彼女は医師に診断書を書いてもらい、実家に帰って家族と会うことにしました。飛行機を降りた瞬間から、マーサはまっすぐに立って杖なしで歩けたそうです。家族と一緒に過ごす時間はとても楽しく、自分にとって何が一番かを知ったマーサは、実家の近くで仕事を探すことにしました。

近所の小学校の面接を受けた2週間後、マーサは校長として雇われることになりました。前よりも上の肩書きで新しい職に就いたマーサは、手術を受けるのをやめ、実家の近くに引っ越しました。そして今日まで、幸せで健やかに過ごしています。すべては、天使の導きがもたらしてくれたものです。

天使の導きに救われたのは、マーサだけではありません。天使の癒しのメッセージは、クライアントにとっても、私にとっても驚くべき結果をもたらしてくれました。

次々と与えられる天使のメッセージを書き残していた私は、これらをまとめて一冊にした本の出版を思い立ち、ヘイハウス社に話を持って行きました。じつは、ほかの出版社にも企画書を提出し、何とかして話を聞いてもらおうとしていたのですが、まったく無駄でした。ところがヘイハウス社に関しては、何もかもがちがいました。まずは本の説明文とタイトルを知らせるＥメールを送るよう導かれ、その通りにしました。すると驚いたことに、社長のリード・トレイシーから直接連絡があり、すぐに出版が決まったのです。リードも私も、その時点ではどんな本になるのか想像できませんでした。

その本『エンジェルセラピー』（発行元：JMA・アソシエイツ）の執筆中、ひどい頭痛に悩まされました。それまでの人生で、頭痛で困ったことなどほとんどありません。そこで私は天使に祈りを捧げ、導きを与えてくれるよう頼みました。もたらされた答えは、高い周波数を宿す天使のメッセージと、低い周波数を宿す私の食生活のバランスが取れていないという事実でした。高気圧と低気圧がぶつかり合って嵐のような状態が生まれ、激しい頭痛という症状になったのです。

天使は、毎日食べていたチョコレートが私の周波数を著しく低くしていることを教えてくれました。チョコレートが欲しくなるというのは、愛に飢えている証拠だそうです。しかし、食べ物を媒体として愛情をやりとりすることはできません。

それでも、何の解決策も思いつかないまま、私はひたすらチョコレートを食べ続けました。天使に助けを求めると、癒しの大天使であるラファエルが目の前に現れ、太い人差し指で私の眉間を指しました。すると、明るい緑色の光の波が現れ、私の額に吸い込まれていきました。優しいマッサージのような感覚が額を中心に広がり、とても気持ちがよかったのを覚えています。

翌日から、チョコレートに対する欲求がぴたりと止みました。1996年のことです。以来私は、チョコレートを一切口にしていません。それまでは毎日食べていたので、私にとっては奇蹟としかいえない出来事です（チョコレートの食べ過ぎが原因のニキビもすっかり治りました）。

天使の癒しを知るたび、クライアントで試してみることにしています。天使について語ることで非難を覚悟したこともありましたが、実際は逆でした。天使の話を聞きたいという人の数は多く、いつ講演会を開いても会場が満席になるという状態が続きました。直接話を聞くという形で行うセッションの予約も、3年先までいっぱいでした。こうした状況はしばらく続きそうでした。

ある日私は、ビーチを歩きながら、自分の状況に関して神に祈りました。
「私は、あなたが完全な形でスケジュール調整をしてくれることを信じています」
　祈りを捧げてすぐに、ビジョンがもたらされました。そして、私は自分がすべきことを理解しているという感覚もありました。私に与えられた役割は、天使のメッセージと癒しを伝える方法を広めることです。
　私が主催していたコースのかつての名称はCertified Spiritual Counselor workshop（サーティファイド・スピリチュアル・カウンセラー・ワークショップ）でしたが、後にAngel Therapy Practitioner workshop（エンジェルセラピー・プラクティショナー・ワークショップ）に改名しました。現在、オーストラリアではAngel Intuitive（エンジェル・インテュイティブ）というコースを主催しています。
　この本は、私が主催するコースすべての方法論と天使がもたらしてくれるメッセージについてのハンドブックです。エンジェルセラピーの概念をよりよく理解してもらえるよう、ほかの著書から引用した部分もあります。この本が、読者の皆さんにとっての目覚めのきっかけとなって、聖なる存在と明らかな形で結ばれ合い、自分だけの人生に込められた目的へと導かれることを祈ってやみません。

愛を込めて
ドリーン・バーチュー

第1章

天　使

エンジェルセラピーについて学ぶ前に、この本で使う言葉の定義を明らかにし、天使に関する基本的な知識について触れておきましょう。

〝天使〟は天界（非物質的）の存在で、エゴ（自我）とは無縁の神の使者を意味し、英単語の〝angel〟はギリシャ語の〝神の使者〟という表現から派生しました。天使は、天国の愛と導きを運ぶ存在にほかなりません。

生まれたときから透視能力が具わっている私には、すべての人に少なくとも二人のガーディアンエンジェル＝守護天使が付いているのが見えます。それ以上のガーディアンエンジェルが付いている人も珍しくありません。これは、多くの守護天使に付いてもらえるよう自分で頼んだか、あるいは神に向かってそう願う人がいたからです。ガーディアンエンジェルは個人的な存在であり、一生を通じて一緒にいてくれます。与えられた役割を果たすために来て、それが終わると離れていく天使もいます。そばに付いてくれる時間は状況や必要性によってさまざまです。

ガーディアンエンジェルは、いつの瞬間もあなたと一緒にいます。何があろうと無条件にあなたを愛し、あなたにとって最高のものを求め続けます。あなたを見守るのに疲れたり、飽きたり、苛立ちを感じたり、あなたを困らせたりすることはありません。ガーディアンエンジェルも、天使であることにちがいはないのです。

天使の協力

天使に対して仰々しい祈りの言葉を捧げたり、あるいは天使を崇拝の対象としたりする必要はありません。すべての栄光は神に属します。天使は特定の宗教に限られた存在ではなく、いかなる信念を持つ人に対しても救いの手を差し伸べます。イエス、そしてすべての宗教における天界の英知と共にありながら、人間を助けます。

天使の目標は、人間一人ひとりに対し、神の意思である地上の平和を実現させることです。すべての人間が穏やかであれば、穏やかな人々で満たされた平和な世界が訪れることを知っているのです。人生の本当の目的は、心穏やかにあることです。天使は、私たちがそこに達するまでの道のりを助けたがっています。

試練が人間を育てるというのも事実ですが、天使は、静寂が大きな成長をもたらすと語ります。日々の行いや創造性が静けさを通じて奉仕につながり、肉体をより健やかに機能させられるようになります。やがて人間関係が強く育まれ、花が咲き、私たち一人ひとりが神の愛を体現する存在となって輝きます。

「神はすでに私が望むものを知っているので、これ以上頼むことは何もありません」と言う人と出会うことがあります。確かに一理ありますが、人間は、自由意志を宿して創られています。神も天使も、許しを得ることなく私たちの人生に関わることはできません。言葉を変えれば、私たちのほうから頼まなければ、神も天使も救いの手を差し伸べることはできないのです。

助けを頼む方法は、大きな問題ではありません。大切なのは、助けを頼むという行いそのものです。頼みごとは、大きな声で言っても、脳裏に思い浮かべるだけでも、文字にして書いてもかまいません。歌にしたり、ささやいたり、パソコンのキーボードで打ち込んだり、叫び声に乗せたりしても、天界からの導きが必ずもたらされます。ポジティブな響きの言葉を選びましょう。懇願や嘆願でもかまいません。助けを求める意志を示せば、神や天使はそれを介入の承諾と受け取ります。

「私の小さな頼みごとで天界を煩わせたくない」と言う人もいます。天界の存在にとっては、頼みごとに大小の差はありません。人間が安らぎと穏やかさを得るためなら、どんなことにも手を貸してくれます。加えて言えば、長く続く安らぎをもたらしてくれるのは小さな望みであることが多いのです。そして、小さなストレスにいつまでも悩まされることもあります。救いの手を差し伸べてくれるよう頼むことが、世界平和の実現への貢献になるのです。

何を頼んだらいいのかわからない、という人もいるでしょう。それでもまったく問題ありません。「心穏やかであれますように」と言ってみてください。これを聞いた天使は、すぐに望みを叶えてくれます。何か具体的なことを頼むときには「神様、私が望んでいるのはこれか、それ以上のものです。お願いします」と言ってみましょう。天界の基準は物質世界のそれよりも高いので、限定的な言葉遣いでも大丈夫です。

神や天使に対して〝こういう手順で助けてほしい〟と頼むのはまちがいです。また、天界からの助けがどのような形でもたらされるのかを思い悩むことで、無駄な時間を過ごしてはいけません。〝どのように〟という部分は、神の無限の聖なる知識に委ねられています。私たち人間がするべきは、助けてくれるよう頼み、与えられる導きに従うことだけです（導きについては、後で詳しく述べていきます）。

「神に直接話しかけられるのに、天使と話をするのはなぜですか？」と尋ねられることがときどきあります。素晴らしい質問です。神と天使に質問してみると、次のような答えがもたらされました。

人々が恐れ、天界からの救いを最も欲しているときには、振動数が低くなり、神の純粋な愛情を聞いたり感じたりすることができなくなります。物質世界により近い位置にいる天使は、人間が抱く恐れや緊張をよりたやすく感じ取ることができます。天使たちは、人々の振動数を上げ、恐れをなくし、穏やかさを取り戻して、神とのつながりを元通り澄んだものに戻すのです。

誰でも神や天使の声を聞くことができ、話をすることができます。特別な訓練も資格も必要ありません。すべての人が同じように、天界の愛と助けを受ける資質を宿しています。人間は、神の姿を模して創られました。ゆえに、愛と潤沢、健やかさ、美しさ、そして善性といった聖なる資質をすべて受け継いでいるのです。

「すべての人にガーディアンエンジェルが付いているなら、この世に邪悪なものや苦しみがあるのはなぜなのだろう？」と思う人がいるかもしれません。これも素晴らしい質問です。すべての人が自分のガーディアンエンジェルの言葉に耳を傾けたとしたら、世界は愛に満ちた穏やかな人々でいっぱいになるでしょう。恐れの感情や、何か足りないという気持ちから生まれ、身勝手な振る舞いの原因となる邪悪さはすべて消えるはずです。

天使と共にあれば、すべての人に行き渡るだけ、あらゆるものが十分にあることがわかり、競い合う必要などないことが理解できるでしょう。なくなるかもしれないと恐れることなく、すべてのものを自由に分かち合えるのです。

天使は、亡くなった友人や肉親の霊魂とはちがいます。友人や肉親も天使のような行いをすることはできますが、かつて肉体を持って生きていたので、エゴや誤った見解がまったくないとは言い切れません。ただ、精神世界の住人である愛する人々との交流には何の問題もありません。しかし、きわめて純粋な聖なる導きを得るためには、神やエゴとは無関係の天使（イエスを含めた天界の英知もそうです）に意識を向けるべきです（第３章で、天国の愛する人々とつながる方法について詳しく語ります）。

天使が住む精神世界は、決して遠い場所ではありません。天界は私たちの周囲にありますが、次元がちがいます。さまざまな周波数の電波が隣り合って存在しているのと同じです。

人々を危機から救うため一時的に人間の姿になって現れ、肉体が滅びるまで人間の姿のままでいて、より直接的な形で人々を助ける転生天使を除けば、天使は、肉体を持って人間として物質世界で生きた経験のない天界の住人です。

天使の九階級

天使について研究する〝天使学〟では、次のような9つの階級があるとされています。九階級は、三階級ずつ3つのグループに分けられた構造になっています。

＜セラフィム＝熾天使＞

最上階級に属する天使で、神に最も近い場所にいます。まばゆい光で包まれており、純粋な光の存在です。

＜ケルビム＝智天使＞

ぽっちゃりした子どもの姿で描かれることが多く、キューピッドにも似ています。天使の第二階級に属するケルビムの本質は、純粋な愛です。

＜スローン＝座天使＞

セラフィムとケルビムにスローンを加えた上位三階級の天使は、天界で最も高い場所にいます。スローンは物質世界と精神世界をつなぐ橋となり、神の公正さと正義を体現する天使とされています。

＜ドミニオン＝主天使＞

ドミニオンは、九階級の第二グループで最高位の天使です。神の意志に従いながら、下位の天使たちを監督します。

＜ヴァーチュー＝力天使＞

ヴァーチューは物質世界の秩序を守り、太陽や月、地球を含む惑星の動きを司ります。

＜パワー＝能天使＞

その名が示すとおり、森羅万象に生まれる低いエネルギーを浄化する力を宿します。

＜プリンシパリティ＝権天使＞

最後のグループには、物質世界に近い天使たちが属しています。第三グループの最高位であるプリンシパリティは、神の意志に従いながら都市や国、そして地球全体を見守ります。

＜アークエンジェル＝大天使＞

大天使の役割は、人類と守護天使を見守ることです。それぞれの大天使に、神の資質を宿した得意分野があります。

＜ガーティアンエンジェル＝守護天使＞

一人ひとりの人間に守護天使がいて、肉体を持って物質世界を生きている間、ずっと見守ってくれています。

天使の九階級は、セラフィムとケルビムに関する聖書の記述を基本としています。5世紀の神学者、偽ディオニシウスが聖書に記された天使の階級を考察し、後にジョン・ミルトンの『失楽園』が発表されて以来、天使の階級の数は9つであるという概念が一般化しました。

天使に呼びかける

天使は数え切れないほど存在し、人間は天界から多くの助けを借りることができます。脳裏に思い浮かべるだけでも、口に出して呼びかけても変わりはありません、天使を送ってくれるよう、神に頼んでみてください。あるいは、そばに来てくれるよう直接天使に話しかけたり、天使がすぐそばにいるイメージを思い浮かべたりするのもいいでしょう。気持ちを込めて頼めば、方法はどんなものでもかまいません。前述したように、頼みごとが天使の邪魔となることはありません。天使は無数に存在し、人間に安らぎをもたらすことに喜びを感じるのです。

人間と同じく、天使にも得意分野があります。特定の状況で最も役に立ってくれる天使を選びましょう。あるいは、次に紹介する天使も参考にしてみてください。

＜潤沢の天使＞

お金に関する賢明な選択、仕事のプラス要素、思いがけない収入、基本的に必要なものの充実、小銭が見つかること、転職に最適な聖なるタイミングなどについて助けてくれます。

＜癒しの天使＞

大天使ラファエルに率いられる癒しの天使たちは、病んだ人々を癒しのエネルギーで包み込み、恐れる気持ちをなだめ、体を健やかに戻し、医療に関する決断、癒しに関わる人々、そして怒りや悲観主義といったネガティブな要素を解き放つのを助けてくれます。

＜引越しの天使＞

理想的な新居を見つけ、前の家の売却や貸し出しを手伝い、資金計画や居住資格の問題を解決し、引越しが楽に進むようにして、ストレスを最低限に抑え、引越し作業の間も持ち物を守ってくれます。

＜ロマンスの天使＞

無邪気なロマンスの天使は人と人とをつなげ、人間関係の問題を解決し（その上、楽しさと情熱を加えてくれます）、ソウルメイトと出会うための準備を整えてくれます。

＜フィットネスの天使＞

体を健やかな状態にし、それを保つ気持ちを強め、正しいエクササイズ法を伝え、過食を抑え（あるいはなくし）、健康的な食べ物を選ぶようにし、我慢させられるという感覚や言い訳する気持ちを消してくれます。

＜自然の天使＞

デーバ、妖精、あるいは元素霊と呼ばれることもあり、植物や水辺、ペットや野生動物を守る存在です。ガーデニングを手伝い、庭に鳥や蝶を呼び寄せてくれます。環境に良い選択ができるようにして、落ちているゴミを拾うようにも仕向けます。また、菜食主義・絶対菜食主義を貫く人々を支えます。

＜運転と駐車の天使＞

非常に力が強い天使で、道順や時間通りの到着、駐車スペースを見つけるのを手伝ってくれます（目的地に着く前に、駐車スペースを確保するよう頼んでおきましょう）。

＜美の天使＞

美しさを守る大天使ジョフィエルに率いられ、さまざまな状況で最高の洋服やヘアスタイル、そしてアクセサリーを選ぶのを手伝ってくれます。また、腕の良い美容師と出会うことができ、日ごろのお手入れにも協力してくれます。贈りものが手に入り、人を内側から輝かせ、魅力を最大限に引き出してくれます。

＜家族の天使＞

大天使ガブリエルと大天使メタトロンに率いられ、養子縁組と受胎を含めた子育て全般を助け、家事をスムーズに進め、家族が仲良く暮らし、家族みんなの心を大きく開かせ、お互いがお互いを思いやるように仕向け、家を守ってくれます。

＜闘いの天使＞

大天使ミカエルに率いられ、社会的問題や不利な立場にある人々のため優雅に闘い、草の根運動に参加する人々の気持ちを高めます。また、チャリティー団体の運営を助け、子どもたちを家庭内暴力から守り、家や貴重品を守り、不正を告発しようとする人々に勇気と守護を与え、善意で活動する弁護士に協力します。

それぞれの天使が、男女の差を感じさせるエネルギーを宿し、その性質によって姿や行動が男性らしくなったり、あるいは女性らしくなったりします。ただし、ガーディアンエンジェルの人数や男女比は一定ではありません。よって、ある人は男性が３人に女性が１人、またある人は女性が２人だけということもありえます。

すべての天使に翼が生えています。その姿は、ルネッサンス期に描かれた絵そのものと言っていいでしょう。でも、移動手段として翼を使うことはないようです。私は、翼を羽ばたかせている天使を見たことがありません。ただ、人を翼で包み込みながら慰めているところは何回も見ました。翼の目的は、おそらくこういうことなのでしょう。

あるとき、私のもとを訪れてくれた天使がこのように教えてくれました。天使の翼は、西洋社会の人々の思いが形になったものだそうです。

最初に天使を描いた人々が、オーラの光を翼とまちがえてしまったのです。以来、わたしたちは必ず翼を生やした姿で描かれるようになりました。翼を生やした姿で現れるのは、わたしたちが天使であることをあなたがたにわかってもらうためなのです。

ガーディアンエンジェルの名前

人間と同じく、すべての天使に名前があります。ガーディアンエンジェルの名前を知って、定期的に話しかければ、絆が深まっていくでしょう。直接尋ねてみるのが一番です。

邪魔が入らない静かな時間を作り、「私のガーディアンエンジェル、名前を教えてください」と話しかけてみましょう。声に出しても、思い浮かべてもかまいません。名前は、ひらめきや言葉、あるいは感情、そしてビジョンを通じてもたらされます。感じたことは、忘れないように書き留めておきましょう。

奇妙な響きの名前もあります。まったく何も伝わってこなかったら、知ろうという気持ちが強すぎるのかもしれません。心と体をリラックスさせ、しばらく待ってからもう一度尋ねてみてください。次に、こう話しかけましょう。
「あなたの名前を正しく聞くことができた証拠を、私が住む物質世界の中で、わかりやすい形で示してください」

伝えられたのと同じ名前の人と会ったり、偶然聞こえた会話に伝わってきた名前が入っていたり、さまざまな形で答えがもたらされるでしょう。

自分だけではなく、ほかの人に対しても同じことをできます。ガーディアンエンジェルの名前を知りたがっている人と、物理的に同席している必要はありません。その人を思い浮かべ、肩の力を抜いて深い呼吸を繰り返し、その人に付いている天使とつながることだけに意識を集中させながら、前述した手順を追ってください。

人間には、〝ロウワーセルフ〟（エゴ）があります。天使の名前など想像の産物にすぎない、という考えを押し付けてくるのがこの部分です。天使に明らかな証拠をもたらしてくれるよう頼むのは、エゴの言いなりにならず、天使からのメッセージが本物であることを確かめるためです。天使たちが証拠を送ってくれる方法はさまざまで、実際に体験したら驚くにちがいありません。

次の章では、ガーディアンエンジェルと、地上のすべての人間を見守ってくれる大天使についてお話しすることにしましょう。

MEMO

第2章

大天使

天使たちを管理する立場にあるのが、大天使という存在です。前章で示した天使の九階級をもう一度見てみてください。すべての天界の存在の中で、地球とそこに住む生き物への救いに最も深く関わっているのが、ガーディアンエンジェルと大天使です。

普通の天使と比べて体が大きく、力も強い大天使は実体を伴いませんが、その存在をはっきりと感じ、発する声を聞くことができ、波長が合えば姿を見ることができます。天界の住人なので性別はありませんが、得意分野と性格によってエネルギーや人格が女性的、あるいは男性的になります。

〝archangel＝大天使〟という言葉は、〝第一の、主要な、重要な〟という意味の〝archi〟そして〝神の遣い〟を意味する〝angelos〟というギリシャ語の単語を組み合わせたもので、〝神の重要な遣い〟というニュアンスになります。

きわめて力が強い大天使は、それぞれが異なる神性を宿します。森羅万象の中で輝く神は究極の宝石であり、それが持つ多くの面（資質）が大天使であるということもできるでしょう。大天使の役割は、聖なる光を拡散させるプリズムとなり、物質世界で生きるすべての人を照らすことです。

大天使は、均整の取れた体にワシや白鳥を思わせる大きな翼を生やした姿で描かれます。これに対し、ケルビム（智天使）は小さな羽根を背中につけた赤ちゃんという姿です。大天使は神が創った最初の被造物に含まれており、人類、そしていかなる組織的宗教よりも古い歴史があり、帰属するのは神だけです。だからこそ、同じ神の被造物である人間と共にあろうとします。大天使が、信仰や生き方を理由に差別することはありえません。救いを求める人には、誰にでも手を差し伸べます。

ガーディアンエンジェルと同じく、大天使も特定の宗教だけの存在ではありません。そして宗教的な人も、そうではない人も同じように助けます。時間にも空間にも制約されないので、複数の場所に同時に現れることができます。想像してみてください。同時に複数の場所にいられたら、人生はどうなるでしょうか？　天使はこう言います。できないのは、信じないから。確かに人間は、同じ時間枠の中ではひとつの場所にしかいられないと思い込んでいます。天使から見れば、この信念が妨げとなっているようです。私が言葉を交わした天使によれば、もうすぐ人間もバイロケーション（同時に複数の場所にいること）の方法を学ぶことになるそうです。

大天使のバイロケーション能力を強調する理由は、自分の望みで大天使を縛り付け、大切な仕事ができなくなってしまうのではないかと心配する人が多いからです。でも、これは人間ならではの規制の感覚から生まれる考え方にほかなりません。大天使や天界の英知は、いつでもどこでも、助けを求める人のもとに駆けつけ、一人ひとりと特別な絆を育みます。助けてほしい、という気持ちを思い浮かべるだけでいいのです。正式な祈りの言葉は必要ありません。

大天使の識別

大天使の数は、宗教や精神的伝統によって異なります。聖書やコーラン、『レビ記』、カバラ、『第三エノク書』、そして偽ディオニシウスが残した文献には、それぞれ異なる大天使の数が記されています。

私が自分の著書で主として言及するのはミカエル、ラファエル、ガブリエル、ウリエルの４人ですが、大天使はこのほかにも多く存在します。そしてごく最近、４人以外の大天使たちも、私の人生と仕事に関わりを持つことを強く求めてきています。よって、ほかの大天使たちについても記しておくことにします。これを読めば、関わり方についてよりよく理解していただけると思います。性別に関する記述がありますが、これは私の個人的な交流から得た印象によるものです。天使も大天使も、物理的な意味合いでの肉体を持たない存在です。性別は、特質とエネルギーの質から感じ取るしかありません。たとえば、大天使ミカエルの強い防衛力は男性的なものを感じさせ、ジョフィエルの美意識はとても女性らしいといえるでしょう。

＜大天使アリエル＞

アリエルの名前には〝神のライオン〟という意味があります。大地の大天使として知られるアリエルは、植物の身になって、疲れることなく働きます。元素霊の王国を監視し、特に野生動物の癒しに能力を発揮します。妖精と近づきたいとき、あるいは野生の鳥やその他の動物を癒したいときには、アリエルに声をかけてみてください。

＜大天使アズラエル＞

アズラエルの名前は、〝神が助ける者〟という意味です。死の天使と呼ばれることもありますが、それはアズラエルが物理的な肉体から抜け出た人々を出迎え、精神世界へ連れて行くという役割を任されているからです。精神世界へ入ったばかりの魂を安心させ、愛されていることを認識させます。どのような教えを信じても、師とする人が誰でもアズラエルは同じように手を差し伸べてくれます。すでに亡くなってしまっている場合でも、生命の灯が消えそうになっている場合でも、愛する人のためにアズラエルに声をかけてみてください。正式なものでも、自分なりのものでも、祈りを捧げるときにも助けてくれるでしょう。

名前の響きがよく似ているので、悪魔あるいは堕天使とされるアザザエルと混同されてしまうことがありますが、役割も性質もまったく別の存在です。アズラエルは、ほかの大天使と同じく、純粋で信頼できる神の光の存在です。

＜大天使チャミュエル＞

チャミュエルの名前は、〝神を目に映す者〟という意味です。チャミュエルは、私たちの人生の大切な部分を探し出すのを手伝ってくれます。新しい恋愛、新しい友情、これまでと違う仕事、あるいはなくしてしまった物。一度見つかれば、チャミュエルによって新しい状況が保たれ、発展していきます。仕事場や、人間関係での誤解を修復するために、チャミュエルに声をかけてみてください。

＜大天使ガブリエル＞

大天使ガブリエルの名前は、〝神は私の強さ〟という意味です。ルネッサンス初期の絵画では、女性の姿で描かれていることが多いのですが、後の時代の文献には男性として記されています（おそらく、ニカイア公会議での聖書の大幅な編集のせいでしょう）。ガブリエルは、作家や教師、ジャーナリストなど、地上界のありとあらゆる種類の〝伝える人々〟を助ける、メッセンジャーの天使です。伝えることを恐れてしまう気持ち、あるいはそれを前に躊躇してしまう気持ち、受胎、養子縁組、妊娠、そして幼児期の問題について助けを借りてください。

＜大天使ハニエル＞

ハニエルの名前には、〝神の優雅さ〟という意味があります。優雅さと、その効果が欲しいとき（安らぎと静穏、良き友との楽しさなど）には、ハニエルに声をかけてみてください。大切なプレゼンや就職面接、あるいは初めてのデートの前など、優雅さが欲しいときに役に立ってくれるでしょう。

＜大天使ジェレミエル＞

大天使ジェレミエルの名前には、〝神の慈悲〟という意味があります。スピリチュアルな行動や奉仕活動に身を捧げる人間にインスピレーションと動機を与えてくれます。聖なる知識を得る過程においても、人間を助けてくれます。精神的に行き詰まりを感じたときには、ジェレミエルに声をかけてみてください。自分が歩むべき道と聖なる使命に関する熱意を取り戻すことができるでしょう。ジェレミエルは安らぎと、感情の癒しをもたらしてくれます。そして、許しの気持ちを持たなければならない問題には、特に役立ってくれるでしょう。

＜大天使ジョフィエル＞

ジョフィエルの名前は、〝神の美〟という意味です。ジョフィエルはアーティストの守護大天使で、日々の暮らしに宿る美が私たちの目に映るよう、そしてそれを維持できるよう手を貸してくれます。アートに関係する新しい事柄を始める前には、ジョフィエルに声をかけてみてください。汚染を除去して地球を浄化するジョフィエルに積極的に働きかけ、重要な役割を手伝ってください。私は、家や仕事場、そして人生からも不要なものを取り除いてくれるジョフィエルを〝風水の天使〟と呼ぶことがあります。

＜大天使メタトロン＞

メタトロンの名前には、〝存在の天使〟という意味があります。大天使の中で最も若く、最も背が高いとされ、かつて人間（預言者エノク）として肉体を持って物質世界に生きた体験がある二人の大天使のひとりです。メタトロンは聖母マリアと共に、物質世界と精神世界の差なく子どもたちを助けます。ユダヤの神秘主義思想〝カバラ〟では、メタトロンが生命の樹における主要な天使とされています。その役割は、精神的な旅を始める人間を助けることです。どんなことでも、子どもを助けてほしいときにはメタトロンに声をかけてみてください。スピリチュアルな意味での覚醒と理解も助けてくれるでしょう。メタトロンはまた、クリスタルチャイルドやインディゴチャイルドにも救いの手を差し伸べ、持って生まれた才能を活かしながら、学校をはじめとする普通の生活をこなしていくのを助けてくれます。

＜大天使ミカエル＞

ミカエルの名前には、〝神と同じ者〟あるいは〝神に似た者〟という意味があります。ミカエルは、地球とそこに生きるものすべてから恐れを解き放ってくれる大天使です。警官の守護天使として、すべての人間に対し、真実に従い、それぞれが担う聖なる役割を全うするための勇気と気骨を与えてくれます。自らの安全や天界から与えられた自分の目的について考えるとき、あるいは必要な変化に対して恐れや混乱を感じたときには、ミカエルに声をかけてみてください。機械や電気系統の故障も、ミカエルが直してくれます。それに加え、ミカエルは人生の目的を常に指し示し、それに向かって歩んでいく勇気を与えてくれます。

＜大天使ラギュエル＞

大天使ラギュエルの名前は、〝神の友〟という意味です。正義の大天使と呼ばれることが多く、社会不正などの犠牲者など、弱い立場にある人に救いの手を差し伸べます。抑圧されたり、操られたりしていると感じたときには、ラギュエルに声をかけてください。職場であれ、近所づき合いであれ、バランスを整えるよう介入してくれます。自分だけではなく、不当な扱いを受けているほかの人も救ってくれます。ラギュエルは、すべての種類の人間関係に調和をもたらしてくれるでしょう。

＜大天使ラファエル＞

ラファエルの名前には、〝神は癒す〟という意味があり、物理的な癒しをもたらしてくれます。人々を健やかに保つ仕事に就いているすべての人を助けるラファエルは、こうした分野を目指している人々にも救いの手を差し伸べます。あなた自身、そして誰か（動物も含めます）が怪我や病気に悩んでいるときには、ラファエルに声をかけて癒してもらってください。癒しに関する専門教育や、技術者として開業する過程に関しても見守ってもらえるでしょう。それに加え、ラファエルは旅人の守護天使でもあるので、旅行中の安全と調和をもたらしてくれます。

＜大天使ラジエル＞

ラジエルの名前は、〝神の秘密〟という意味です。神の間近にいるラジエルは、森羅万象の秘密と不思議に関するすべての会話を耳にすると言われています。これを記録し、まとめた文書をアダムに渡し、それがその後、預言者エノクとサムエルの手に渡りました。いわゆる奥義や秘儀（夢も含みます）、あるいは錬金術や前世、顕現について理解を深めたいときには、ラジエルに声をかけてみてください。

＜大天使サンダルフォン＞

サンダルフォンの名前は、〝兄弟〟という意味です。大天使メタトロンと同じく、サンダルフォンもかつては人間の預言者（エリヤ）で、天使界に引き上げられました。サンダルフォンは音楽、そして祈りに対する答えを司る大天使です。大天使ミカエルと共に恐れの感情と、恐れの感情がもたらす悪影響を（音楽で）浄化してくれます。精神的な混乱を消したいときには、気持ちが落ち着く音楽をかけてサンダルフォンに声をかけてみてください。

＜大天使ウリエル＞

ウリエルの名前は、〝神は光〟という意味です。どんな問題でも解決する力を秘めた光を放ち、困難な状況を打破してくれます。困った状態の中、理路整然とした形で考えて答えを出さなければならないときには、ウリエルに声をかけてください。ウリエルはまた、学生や、知的活動で支援を必要としている人を助けます。

＜大天使ザドキエル＞

ザドキエルの名前は、〝神の公正〟という意味です。ザドキエルは記憶力を司る大天使とされ、ウリエルと同様、学生を助けます。何かを覚えておく必要があるときには、ザドキエルの助けを借りてみてください。あなたが自ら宿している聖性を忘れないようにするためにも、ザドキエルは力を貸してくれるでしょう。

エンジェルセラピーでは、主として大天使ミカエル、そして大天使ラファエルとコミュニケーションを取りながらことを進めていきます。大天使ミカエルにエーテルコード（後に詳しく触れます）を断ち切り、肉体とエネルギー場を浄化し、守ってもらい、大天使ラファエルにすべての意味合いでの癒しをもたらしてもらうためです。

大天使との交流

地球、そして人類にとても近い存在である大天使と触れ合うのは、ごく自然なことです。聖書には、ミカエルやガブリエルと接触した人々について多くの話が記されています。大天使は、神の意思と共に、私たち人間に働きかけてくれるのです。

大天使に対し、〝正式な〟祈りを捧げる必要はありません。また、大天使が崇敬の対象となることもありません。前章で示したとおり、すべての栄光は神に帰属します。私たち人間が大天使に働きかける理由は、彼らが神の意思の下、すべての人間に向けられた贈りものであり、平和を実現する聖なる計画の一部であるからにほかなりません。それでは、私たちが直接神に願いごとをしたり、質問したりしないのはなぜでしょうか。大天使は神の一部です。私たちが、大きなストレスを強いられながら必死に訴える言葉も、すべて受け容れてくれます。大天使の振動は凝縮されているので、姿が物質化したり、声を届けてくれたりすることもあります。虹や夕日に、神の愛を感じることはありませんか？　それと同じことです。

大天使の助けを借りるため、聖人のように清らかである必要はありません。完全な人間である必要もありません。大天使は、人間ならではの過ちを見逃します。彼らが目に映しているのは、すべての人が宿す〝内なる善性〟にほかなりません。私たち一人ひとりを助け、安らぎをもたらすことで、世の中全体を平和にしたいのです。よって、大天使の役割は、心穏やかではない人々に救いの手を差し伸べることも含まれます。

神の一部である大天使は、物質世界的な制約を受けません。ありとあらゆるところに宿る神の写し絵だからです。新約聖書の『マタイによる福音書』の第28章20節に記された「いつもあなたがたと共にいる」というイエス・キリストの約束の言葉を忘れてはいけません。大天使もイエスも、助けを求める人のそばに、いつでもいてくれます。

大天使が人間の自由意志を無視して介入し、救いの手を差し伸べようとすることはありえません。介入することが利益につながる事実が最初から明らかでも、大天使は、人間の自由意志の下に介入が求められるのを待ち続けます。祈りの言葉、助けを求める叫び、願い、ビジュアライゼーション、アファメーション、そして脳裏に浮かぶ思いが、天使の介入を求めるサインとなります。介入を頼む方法に制限はありません。大天使は、私たちが自ら進んで介入を求める気持ちが示されるのを待っています。

方法を誤ってしまうのではないかという心配も要りません。特別な訓練も、壮麗な言葉遣いも必要ありません。真摯な気持ちを込めれば、それだけで十分です。大天使に響くのは信じる気持ち、そして真摯な気持ちを込めた祈りです。大天使を信じる気持ちを込めたアファメーションやビジュアライゼーションは、その瞬間に脳裏に浮かんでいる揺るぎない認識を表すものです。守ってくれていることを感謝するときには「大天使ミカエル、私を守ってくれてありがとう」といった言葉遣いになるでしょう。また、真摯な気持ちを込めた祈りは懇願となるので、「大天使ミカエル、どうか私を守ってください」といったものでもいいでしょう。どちらを選んでも、効果は同じです。

次のような疑問を持つ人がいるかもしれません。

「神に対して直接話しかけるべきでしょうか？　それとも、今の私にふさわしい天使を遣わしてくれるよう神に頼むべきでしょうか？　あるいは、まず天使に呼びかけるべきでしょうか？」

この質問は、神と天使の区別を大前提としています。しかし、神と天使の間に境界線はありません。大天使と共に過ごす時間が増えるにつれ、信頼の絆も強くなっていきます。大天使と共にあれば、常に守られ、安全で穏やかにいられることが実感できるでしょう。

聖典の中の大天使

＜聖書＞

聖書に名前が出てくる大天使は、ミカエルとガブリエルだけです。『ダニエル書』に両方の大天使を説明する文章があり、預言者ダニエルが見たビジョンの解釈を助けるガブリエルについての記述や、〝大天使長ミカエル〟という言葉が出てきます。『ルカによる福音書』には、「あなたに話しかけて、この喜ばしい知らせを伝えるために遣わされたのである」という言葉で、洗礼者ヨハネとイエス・キリストの誕生を知らせるガブリエルについて記されています。

ミカエルに関する文章は、モーセの亡骸を守る様子が『ユダの手紙』、そして『ヨハネの黙示録』にも別の記述が出てきます。

＜聖書外典およびタルムード＞

聖書の正典以外にも、聖なる文書とされているものがあります。東方正教会をはじめとする教会機構では、正典に含まれていない文書も聖書の一部として考えます。『エノク書』には、ミカエルやラギュエル、ガブリエル、ウリエル、そしてメタトロンに関する文章が記されています。『トビト書』には、トビアという若者が旅をする間見守り、彼が父親トビトの目を癒す軟膏を作るのを手伝う大天使ラファエルの姿が描かれています。『第二エスドラス書』（コプト教会では正典として扱われています）では、大天使ウリエルが〝救済の天使〟として記されています。

＜コーラン＞

イスラム教の聖典コーランは、大天使ガブリエル（ジブリール）によって預言者ムハンマドに示されました。コーランおよびイスラム教思想にはミカエル（ミーカーイール）、ラファエル（イズラフェル）、そしてアズラエル（イズラエル）といった大天使の概念があります。

大天使の数

大天使の数は、宗教によって異なります。大天使という言葉を聞いて、人々が連想するのはミカエルとラファエル、ガブリエル、そしてウリエルの4人でしょう。しかし前述したように、聖書にはミカエルとガブリエルの名前しか出てきません。

『ヨハネの黙示録』では大天使が7人いるとされ、聖書外典の『トビト書』には、ラファエル自身が「7人いる大天使のうちのひとりである」と自ら語る文章が記されています。グノーシス主義でも大天使は7人とされており、歴史学的見地からは、7という数字の神聖さが、古代バビロニア文明の宗教と天文学を融合させた思想に源を発すると考えられています。7つの惑星はそれぞれが不思議な力を秘めているとされ、畏敬の念の対象となっていました。

どの7人が大天使なのかということになると、考え方はさまざまです。しかも大天使の名前は、綴りも発音もちがうことが多いのです。

ユダヤの神秘主義思想カバラでは、10人の大天使がそれぞれセフィラ（神の特性）を象徴するとされ、大天使長はメタトロンです。

大天使の数はわかりづらく、それぞれの宗教の主観に委ねられることが多いのです。私も、『願いを叶える77の扉』

（発行元：JMA・アソシエイツ）のリサーチ過程と執筆を通して自分なりの答えを出そうと思いました。大天使についての情報を可能な限り多く集め、その後一人ひとりの大天使と交信し、言葉を交わしながら、つながりを持ちました。私が関わっているのは、コミュニケーションが比較的簡単で、文献が多く残され、神の純粋な愛の光を放つ15人の大天使です。

地球で人間を助けている大天使の数は、かなり多いのが事実です。東方正教会の神学論では、何千という単位で大天使が存在すると考えられています。私が祈っているのは、一人でも多くの人が心を大きく開き、全幅の信頼を置くことができる大天使を自ら招き入れようとする気持ちになることです。

低いエネルギーの影響が心配なら、この事実を覚えておいてください。精神的であれ物理的であれ、恐れの気持ちから生まれたものは、神と大天使の深く暖かい癒しの愛情をまねることはできません。愛すべき神の遣いである大天使が発するまばゆい光をまねることもできません。神やイエス、そして大天使ミカエルに低いエネルギーから守ってもらうよう頼めば、常に光の存在だけに取り囲まれるようにしてくれます。

低いエネルギーと恐れの感情から生まれたにもかかわらず、自ら〝天使〟と名乗るものが存在するのも事実です。しかし、こうした存在はほとんどが物質界から精神世界へ移行できない魂です。たとえばサマエルという〝自称大天使〟は、かつて〝光の天使〟あるいは〝光を宿す者〟と呼ばれていました。しかしサマエルは、輝きを失ったとき、復讐心に燃える暗黒の存在となりました。こうして、後にルシフェルとなるものの概念が生まれました。聖書にルシフェルの誕生に関する記述はありませんが、さまざまな神話や伝説で語られています。

この本では、ソロモン王にゆかりがあると言われる存在も含め、オカルト思想でいう〝暗黒の天使〟は扱いません。ソロモン王が、ダビデの星を刻み込んだ魔法の指輪で悪魔を操りながら寺院を建設したという伝説があります。ソロモン王が操ったといわれる72匹の悪魔の名前が、そのまま天使のリストとされることもありますが、もちろんちがいます。ソロモン王の名を冠した魔導書は、信用するに値しない暗黒のエネルギーを呼び寄せるものでしかありません（私自身は、賢明なソロモン王が低いエネルギーと関わっていたとは思いません）。

オカルトの儀式でもミカエルやラファエル、ガブリエル、そしてウリエルの名前が出されることがありますが、こうした儀式は恐れの感情から生まれたものであり、聖なる大天使の名を出す場としてはふさわしくありません。恐れの感情や罪の意識を基にした宗教や思想には近づかないこと、それが私のアドバイスです。私たちが共にあるべきなのは、神の光と愛を宿す本物の天使です。私たちが望む真の意味での幸せと安らぎをもたらしてくれるのは、本物の天使だけなのです。

大天使との絆を感じ始めた人々が「人生が変わった」と言うのをよく聞きます。大天使と共にあることによってより幸せに、より健やかに、より安らぎ、そして揺るがない態度で毎日を過ごすことができるようになるのです。大天使は、神の愛と英知とつながるための個人的な媒体となってくれるのです。

大天使のオーラ・宝石・星座

それぞれの大天使が、自分だけの目的を宿しています。その特色を表すのが、オーラと呼ばれる独特のエネルギーの色です。大天使がすぐそばにいるとき、色鮮やかな光のきらめきや輝きが感じられることがあります（私も子どもの頃よく体験しました）。この本の巻末に、それぞれの大天使特有の色や宝石、そして司る星座を記したリストを掲載しておきます。

大天使は、声をかけるすべての人と共にあり、共に問題を解決してくれます。エンジェルセラピー・ヒーリングにおいても、重要な役割を果たしてくれます。数多くのセッションを通じて、精神世界の住人となった愛すべき人々からメッセージが寄せられました。次の章で詳しく紹介していくことにしましょう。

MEMO

第3章

精神世界の人々とミディアムシップ（霊媒術）

Angel Therapy

天使とは何だと思いますか？　この質問を百人にしたとしましょう。おそらく半分は、すでに精神世界に旅立ってしまった血縁者や友人である、と答えるでしょう。そして残りの半分は、翼を生やした天界の住人という伝統的なイメージを挙げるのではないでしょうか。

専門的に言えば、天使という言葉は神の遣いを意味します。亡くなったおばあちゃんは聖人のような人だったかもしれませんが、それでも肉体を持って生きていたので、人間特有のエゴと無関係ではいられなかったでしょう。すでに亡くなってしまった、愛すべき人々も精神世界で存在し続けていますが、天使とは違う周波数のエネルギーを発しています。天使ときわめて近い場合もあるかもしれませんが、〝スピリットガイド〟という呼び方のほうが適切です。天使とは違う形で導きを示し、与えてくれる精神世界の住人という意味の言葉です。スピリットガイドとつながる過程はミディアムシップ（霊媒術）と呼ばれ、ヒーリングの一部であることに変わりはありません。

精神世界の住人となった友人や家族とのコンタクトは可能です。怒りの感情を残したまま亡くなってしまったのでそれを解決したいとか、あるいは精神世界で幸せに過ごしているのかを知りたいという場合は、働きかけてみることをお勧めします。精神世界からあなたを見守ってくれている人々からアドバイスを受けることも可能です。ただし、すべてを信じるかというのは別問題です。生きている人からのアドバイスと同じと思ってください。

これだけは覚えておいてください。人間は、肉体が滅びて精神世界に入ったからといって聖人や超自然的存在になるわけではありません。精神世界にいるので、忍耐力が強くなったり、洞察力が深まったりすることがありますが、それでも肉体を持って生きていたときのアイデンティティーがなくなってしまうわけではないのです。精神世界に入った後も、フレッドおじさんやハリエットおばさんのままであり続けます。つまり、物質世界で生きていたときの人間性や癖もそのまま残ります。もちろん、かつて得意としていたこと（たとえばフレッドおじさんが銀行員だったなら、お金に関するアドバイス）についてなら、特に喜んで助けてくれますが、あなたの生き方に関わる大きな問題では、絶対的に信頼できる神や天使に救いを求めるほうが確実です。

また、物質世界で生きていたときに同じ言葉を話さなかった人ともコミュニケーションを取ることができます。言葉を変えましょう。生まれてくることがなかった赤ちゃん、幼いまま亡くなった子ども、言葉が話せなかった人、外国語しか話さなかった人、そのほかの理由でコミュニケーションがとれなかった場合も、遍在の感情と言語、あるいはビジョンなど、言葉以外のものを媒体とした絆を結ぶことができます。

あなたが働きかけることで、精神世界の住人たちを邪魔すると思わないでください。彼らには、物質世界に住む私たちと同じく、自由意志があります。忙しいときには、直接応える代わりにメッセージを送ってきたり、ほかの人が来てくれたりします。彼らを縛り付けるものは、生きている人間がいつまでも解き放てないでいる悲しみです。こうした悲しみが癒されない限り、精神世界の住人たちが安らかにあることはできません。彼らは、愛する者たちに癒しのメッセージを送り、自分たちが精神世界で幸せにあることを知らせる機会を喜びます。

愛する人を亡くした直後、深い悲しみに包まれたままになるのは当然です。しかしその後は、徐々に悲しみと怒りが和らいでいくはずです。ただし、悲しみがあまりにも深いため、何年間も喪に服した状態のまま過ごしてしまう人もいます。自らの命を絶とうとしたり、睡眠薬中毒に陥ったり、あるいは引きこもりになってしまう人もいるでしょう。こうした行動は、旅立った人々の精神的成長を妨げてしまいます。愛する彼らのためにできる最高の行いは、生きている人間が自分で悲しみに打ちひしがれた心を癒すことにほかなりません。支援グループに入ったり、積極的にコミュニケーションを取って精神世界にいる彼らが幸せであることを確認したり、日記をつけたり、自分の肉体を慈しむことによって、心の痛みを取り除くことができます。

自分で行うミディアムシップ（霊媒術）

ごく親しい人を亡くした場合、肉体が滅びた後も一緒にいて、同じ時を過ごしていた可能性が高いと言えます。今も定期的に訪れてくれているかもしれません。天使や大天使、そして天界の英知に加え、精神世界の住人となった友人や親戚、その他あなたが愛するすべての人もまた、救いの手を差し伸べてくれる存在です。あなたが物質世界に生まれ出る前に亡くなっている親族かもしれないし、親しく付き合っていた人かもしれないし、あるいはあなたの人生の目的に直結する特殊な技術を教えてくれる過去の知人かもしれません。

人間は誰もが、物質世界から旅立つとき、自分の精神的成長だけではなく、ほかの人々のためになる奉仕するチャンスを与えられます。自分が愛する人の〝ガイド〟になろうという人もいるでしょう。こうした人の魂は、自分で選んだ人の肉体が滅びるまで物質世界に留まります。天国の時間軸は物質世界のそれとは違います。たとえば、物質世界での95年間も、天国でははるかに短く感じられます。

精神世界に旅立った人々がそばにいてくれる理由は、愛情にほかなりません。それに加えて、あなた自身が同じような役割を担っているかもしれません。亡くなった人にとっては、あなたのそばにいることが、肉体を持っていたとき果たせなかった目的を達成する方法かもしれないのです。あなたが、はるか昔に亡くなった叔母さんから名前をもらっているとしたら、その叔母さんがガイドである可能性が高いといえるでしょう。名前をもらった人は、ほぼいつでも一緒にいてくれます。両親が無意識のうちに、その人とあなたがよく似た魂の旅路を宿していることを理解していたのかもしれません。

それでは、スザンヌ叔母さんがあなたのスピリットガイドになることを決めたとしましょう。彼女はまず、地上界のスピリチュアルカウンセラー養成コースと似た内容の勉強をしなければなりません。〝天国の学校〟では、いかに人間の自由意志を妨げることなくそばにいて、支えていくかについて学びます。同時に、精神世界にいながら、助けを求められたときにはいつでも物質世界への救いの手を差し伸べる技術を身に付けます。また、あなたにメッセージを届けるため、最も有効なコミュニケーションツールである夢や〝内なる声〟や直感、あるいは知的洞察力といったものの活用法について知識を深めます。スピリットガイドになるためのトレーニングには、長い時間が必要です。亡くなったばかりの人が常に一緒にいられないのは、こうした理由があるからです。昼も夜も、常に一緒にいてくれるスピリットガイドになれるのは、集中的なトレーニングを終えた魂だけです。

さて、スザンヌ叔母さんは生前優秀な新聞記者で、あなたが作家の卵であるとしましょう。あなたにとって書くことは、生きることの一部です。あなたが天に向かって「この人生で私が果たすべき役割は何でしょうか？」と尋ねるときは、スザンヌ叔母さんがテレパシーを通じて文章を書くよう勧めているのです。もちろん、叔母さんは神があなたに与えた聖なる役割を理解しています。だからこそ、あなたに文章を書くよう勧めるのです。

精神世界の住人と言葉を交わしても大丈夫ですか、と尋ねられることがあります。確かに、モーセ五書などには、死せる者やミディアムと話すことに対する警告が記されています。自分の人生を精神世界の住人の手に委ねてしまうのは誤りなので、警告の理由はわかります。物質世界で生きているほかの誰かにすべてを任せてしまうのと同じだからです。委ねてもいいものがあるとしたら、それはハイヤーセルフ（人間に内在する、高位の存在と結び付く部分）です。

ハイヤーセルフは、人間と神をつなげるものにほかなりません。精神世界の愛する人々も、救いの手を差し伸べてくれます。しかし、前述したように、肉体が滅びて精神世界に入ったからといって、それだけで聖人や天使、そして超自然的存在になるわけではありません。ただ、神や聖霊、天界の英知、そして天使と協力して、肉体を持って物質世界で生きる私たちが聖なる意思を実現するのを手伝ってくれます（ハイヤーセルフが目指すところとも一致します）。スピリットガイドとのコンタクトの主な理由は、絆を深めると同時に、彼らが救いの手を差し伸べてくれるからだと思います。

声をかけることが、精神世界の住人の邪魔になるのではないかと尋ねられることもあります。生きている人間と同じく、邪魔をされたくないときには、天国の魂もはっきり〝ノー〟と伝えてきます。ただし、私個人の体験から言えば、精神世界へと旅立った人々は生きている人間を助けるのが大好きです。天界での時間は無限です。そして何より、彼らはあなたを愛しています。物質世界であっても精神世界であっても、愛している人を助けたいという気持ちに変わりはありません。

養子縁組をした人たち

養子縁組をした場合のスピリットガイドに関する質問もよく受けます。私は、養子縁組をした人が、ほかの人よりも多くの天使、そして精神世界の住人によって囲まれていることに気づきました。新しい両親と出会った人々には必ず、生まれた家庭の血縁者の魂が付いています。個人的体験から言えば、これまで例外はありません。生物学的な意味での父母のいずれか、兄弟や姉妹、祖父母、叔母や叔父といった人々の魂がスピリットガイドとなります。養子縁組をした人自身が、スピリットガイドとなっている人が生きている間に顔を合わせているかは関係ありません。物質世界で肉体を持って生きている間での接触のあるなしに関係なく、強い絆が存在するのです。

それに加え、新しく家族となった家の人々やその友人たちがスピリットガイドとなってくれます。養子縁組によって新しい両親と出会い、新しい家族の一員となった人々には、より多くの精神世界の住人が救いの手を差し伸べてくれるでしょう。そうすることによって、養子縁組の過程がスムーズに進み、いち早く新しい環境に慣れることができるのです。私はそう信じます。

亡くなった人との絆

「私が愛する人は大丈夫でしょうか？」と尋ねる人もよくいます。文字通り、あるいは比喩的な意味合いで〝地獄のような〟場所にいるのではないかと恐れているのです。ただし幸いなことに、私が行ったリーディングでは、多くの人が恐れるような状況に陥っていることはなく、精神世界の住人のほぼすべてが問題なく過ごしています。問題となることがあるならば、それは生きている人間の側に責任があります。あまりにも悲しんで亡くなった人のことだけしか考えられなくなり、感情が麻痺したような状態に陥ってしまう人がいます。精神世界に旅立った人々にとっては、生きている人間のこうした態度が一番の問題なのです。彼らは新しい一歩を踏み出し、旅を続けなければなりません。物質世界で生きている人間にも、同じようにしてほしいのです。精神的成長や幸せを、悲しみで押さえつけてはなりません。そんなことをすれば、旅立った人々をいつまでも引き止めることになってしまいます。天国の住人にとって唯一の問題は、物質世界にいる私たちであると言っても過言ではありません。幸せで建設的な人生を送れば、愛する人々は精神世界で喜びの歌声をあげることでしょう。

精神世界の住人に苦痛はありません。肉体がないので、こういう表現はおかしいかもしれませんが、常に心地良い感覚で包まれています。肉体が滅びてしまえば、病気や怪我、そして体の不自由に悩まされることもなくなります。魂は完全な形で、健やかな状態にあります。すべての人が自分らしくあり、物質世界特有の制約からも解放されます。

天国では、魂の感情も健やかになります。すべての経済的・時間的な制約が消え、いかなる種類のプレッシャーも心配もなくなります（前述の通り、生きている人間がいつまでも悲しみ、精神世界の住人を感情面で引き止めなければの話です）。天国では、望む状況や条件を自由に現実化することができます。世界旅行や素晴らしい家、ボランティア活動、そして家族や友人（肉体のあるなしは関係ありません）と過ごす時間も思いのままです。

私はよく、「亡くなった人が私に怒りを覚えていたら、どうなりますか？」と尋ねられます。精神世界へ旅立った友人や家族が怒りを感じているのではないかと思うのは、次のような理由からです。

◎亡くなるまでの時間を一緒にすごせなかった。または、最期に間に合わなかった
◎生命維持装置のスイッチを切る決断に関わった
◎亡くなった人が賛成しない生き方をしてきた
◎遺産相続問題で家族ともめた
◎愛する人の死を止める方法が本当になかったか思い悩み、罪の意識を感じている

◎事故や事件で亡くなった場合、原因や犯人を明らかにできないままの状態が続いている
◎亡くなる直前に口論をしてしまった

私はこれまで何千という数のリーディングを行ってきましたが、このような理由で怒りを感じている魂と出会ったことはありません。天国では、物質世界で身も心も重くなる原因となるものを解き放つことができます。他人の行動の裏にある本当の動機も、物質世界にいるときよりも明らかに感じられるようになるので、愛する人々は、あなたの行動の意味をよりよく理解することができます。彼らが感じるのは、批判よりも思いやりです。生きている人間の行動（たとえば中毒症状など）に干渉することがあるとするなら、それはライフスタイルが命に関わるような危険性をはらんでいる場合や、その人が持って生まれた人生の目的の達成に邪魔となる場合だけです。

シャワーを浴びているときや、愛する人とベッドを共にしているところを亡くなったおじいちゃんが見ていると思わないでください。魂が、生きている人間を詮索することはありません。スピリットガイドが、物質世界で暮らす私たちの姿を直接見るわけではなく、エネルギーと光という形で感じ取るという事実を示す証拠もあります。精神世界の住人は、さまざまな状況において生きている人間の思いと感情を簡単に理解することができるのです。

スピリットガイドは、私たちの本当の感情と思いを理解しているので、恐れを隠す必要はありません。

あなたが、父親の死に対して相容れない感情を抱いていたとしましょう。喫煙と飲酒で父親自身が自分の寿命を縮め、結果として早すぎる死を招いてしまったことに怒っています。それと同時に、あなたは罪の意識も感じています。亡くなった人に対して怒りを感じることは間違っていると思うからにほかなりません。父親となれば、なおさらです。でも、父親はあなたの気持ちをよくわかっています。天国からは、あなたの心の中のすべてが見通せるからです。

精神世界の住人たちは、何もかもすべて明らかにしてほしいと思っています。そうして初めて、解決できていない怒りの感情や恐れ、罪の意識、そして心配について心から話すことができるようになるのです。亡くなった人に対する手紙を書いたり、伝えたいことを思い浮かべたり、あるいは、はっきりと声に出して言うことによって、こうした会話が可能になります。

亡くなった友人や親族とは、いつでもどこでもコミュニケーションを取ることができます。魂は、墓地に留まっているわけではありません。どんな場所でも自由に動くことができます。邪魔をしているという心配は要りません。人間関係のしこりは、誰でも癒したいものです。これは、相手が生きていてもそうでなくても変わりはありません。精神世界の住人も、あなたと同じくらい言葉を交わし合いたいと思っているのです。

すでに肉体がない場合でも、愛する人がそばにいるときには、ほとんどの人がこれを感じ取れるようです。人間の肉体はエネルギーに敏感で、感じ取ると同時に意味のある情報として解釈します。この能力は、人間誰しもが生存本能の一部として生まれながらにして具えているものです。

亡くなったおばあちゃんがすぐそばにいると思えたら、その感覚は正しいのです。あなたの肉体は周囲の環境を感知し、情報として心に届けます。直感が伝えるものを受け容れられれば、天国とのコミュニケーションは正しい方向に進んでいると言えるでしょう。

亡くなったペットとの絆

亡くなったペットもまた、その存在を感じ、確認し、そして見ることができれば、スピリットガイドとして働いてくれます。お互いがしっかりとした愛情で結ばれていれば、動物の魂も生き続け、ずっとそばにいてくれるでしょう。

ワークショップを行うとき、私は受講者に向かって、部屋の中を駆け回っている犬や猫の姿が見えることを伝えます。飼い主のそばから離れないので、どの犬がどの人に付いているのかはすぐにわかります。こうした形の再会は、心を打つ感動的なものとなります。

精神世界に入った後も、ペットたちの外見や性格は、物質世界で生きていたときと変わりありません。元気いっぱい、なつきやすい、手入れが行き届いている、驚くほどおとなしいといった特徴は、肉体が滅びた後も同じなのです。

じゃれるのが好きだった犬は、精神世界に入った後も、何かを見つけてはじゃれつきます。私の目には、落ち葉の山やボールも見えるのですが、こうした遊び道具が犬の想像力から生まれたものなのかはわかりません。

猫も飼い主と一緒にいることが多いのですが、犬ほどまとわりつくことはありません。自立性が強いからでしょう。ワークショップでも、どの猫がどの人のペットかを見分けるのは難しいのです。部屋の中を駆け回る猫の外見を説明して、飼い主のほうから申し出てもらうことにしています。

亡くなったペットの霊を見たり、その存在を感じたりする人も少なくありません。ベッドで寝ているときに、亡くなった猫が飛び乗ったり、亡くなった犬がソファーで寝ているのを感じたりすることがあるのです。周辺視野に、亡くなったペットが走り回る姿が映ることがあるかもしれません。眼球の端の部分は、中央部よりも光や動きに対して敏感なので、霊的視覚はここでとらえられます。しかし、目の端でとらえたものを正面でとらえようとしても、消えてしまったように感じるはずです。

また、トーテム・アニマル（動物の姿をした超自然的存在）の魂を感じることもあります。トーテム・アニマルはワシやオオカミ、クマといった動物で、人間の頭上を回りながら守護と自然の英知を与えます。

海洋学関連の活動をしている人にイルカがついていたり、創造性が高く感受性が豊かな人にユニコーンが付いていたりするのも見たことがあります。さすがに、金魚が一緒にいるのを見たことはありませんが、金魚も金魚なりの〝光のトンネル〟を通じて精神世界に達すると思いませんか？

肉体が滅びてしまった後も、愛する人やペットとのコミュニケーションを保っておくことができるのです。詳しい過程については、次の章で語っていくことにしましょう。

他者のためのミディアムシップ（霊媒術）

私は、1990年代終わりからミディアムシップについて教えています。この体験を通じ、誰でも精神世界の住人とコミュニケーションをとることができるという結論に達しました。言葉を変えるなら、私たちは一人ひとりが優れたミディアムなのです。

前述したとおり、実践的な技術に関して言えば、自分の直感や脳裏に浮かぶ思いをどれだけ信じられるか、ということに尽きます。誰か（特に、悲しみの感情に打ちひしがれている人）に対してリーディングを行うとき、うまくいっているかどうか心配になるのはごく普通です。可能な限り最高のリーディングを行おうとするため、気負ってしまうのも自然でしょう。ただし、この種の懸念が効果を低めてしまうのも事実です。

だからこそ、あなたの目の前にいる人と、その人が愛する精神世界の住人をつなげることだけに集中するのが重要なのです。あなた自身、そしてリーディングに関わるすべての人の心臓から、慈愛に満ちた光があふれ出るのをイメージしましょう。異なる源から発した愛の光が、ひとつになって交じり合う様子を思い浮かべてください。

リーディングと名の付くものはどんな種類であれそうなのですが、特にミディアムシップに関しては、自分がどのような形で役に立てるかという質問に意識を集中させることが大切です。エゴは自分のことしか考えません。誤ったことを伝えてしまったらどうしよう？　失敗して恥をかいたらどうしよう？　いずれもエゴが生む恐れの気持ちです。

その一方、助けることだけに意識を集中させれば、ハイヤーセルフがすべてを司る形でリーディングが進んでいきます。ハイヤーセルフは常に、完全に超自然的な部分であり続けます。その反面、エゴは恐れの感情に基づくものなので、超自然的な部分はまったくありません。誰かのためにミディアムシップを行うときには、目の前にいる人と、その人が愛する精神世界の住人とをつなぐことだけを考えていれば、うまくいくはずです。

ミディアムシップによってつながる精神世界の人々は、物理的な肉体を持たないことを除けば、あなたや私と同じです。感情もエゴも宿しています。天国に入った後なので、生きているときよりも少しだけ我慢強く、そして人を許す気持ちが強くなっているかもしれませんが、それでもリーディングの間は私たちが尊敬の念を持って接することを期待します（真摯な態度を要求してくる場合もあります）。

精神世界の住人たちは、リーディングを行う本当の理由を見抜きます。ほかの人々を助け、少しでも役に立ちたいと思うからなのか、それとも、霊能者として富と名声を得るためだけか、隠すことはできません。精神世界の支持を受けることができるのは、どんな態度でリーディングを行う人だと思いますか？

精神世界へ旅立った人々も、生きている人々とまったく同じ社会的マナーを期待します。たとえば、いきなり本題に入り、情報を与えてもらおうというのは失礼です。まずは、自己紹介をしてください。

=正しい話しかけ方=

「こんにちは、クラウディア。私はメアリーといいます。あなたの姪のブレンダが、とても悲しんでいます。助けてあげたいのですが、あなたとお話しできますか？」

=誤った話しかけ方=

「クラウディア、今すぐブレンダの情報をください！」

あなただったら、どちらに答えようと思いますか？

ところで、精神世界の住人に対しては、声に出しても、思い浮かべるだけでも（心で）話しかけることができます。いずれの方法でも、あなたの意図は伝わります。でも、間違えないでください。声が大きい人から選んで話を聞くというわけではありません。精神世界の住人が重視するのは、つながりを求める人が何を感じ、何を思っているかです。

誰かを助けたいという気持ちを抱きながら、尊敬を持って接すれば、精神世界の住人の協力ですべてがうまくいくでしょう。〝あちら側〟からもたらされる正確で詳細な情報によって、リーディングに関わる人すべてが救われます。

精神世界の住人はまた、生きている人間が幽霊や気味の悪いものを嫌うことを知っています。最初は誠意を持って始めても、亡くなった人々と実際に言葉を交わしているうちにその事実が怖くなり、腰が引けて、最終的には自分から止めてしまう人もいます。

精神世界では、このような過程が〝ひき逃げリーディング〟と呼ばれ、最も失礼な行動とされています。知り合ったばかりの人と話し始めて、突然目の前から立ち去ってしまうのとまったく同じです。一度リーディングを始めたら、最後までしっかりと終えることが大切です。

セッションするときに重要なこと

それでは、セッションが完了したことはどうやってわかるのでしょうか？　次に示すチェックリストが役に立つと思います。このリストは、リーディングの内容の信憑性を確かめるための有益な道具ともなります。

精神世界の住人とつながるとき、霊能者はすべてを疑います。リーディングの内容が驚くほど正確だったとしても、霊能者自身のエゴが「自分でそう思い込んでいるに違いない」と囁き続けます。

公共の場（ラジオやテレビ、あるいはワークショップ）

でリーディングを行っている場合は、観衆もある程度の疑念を抱いているはずです。精神世界の住人となった友人や血縁者とつながり、言葉を交わすことを必死に願っているリーディングの対象となる人自身も、満足しないことがあるかもしれません。

精神世界とのコンタクトを取ろうとするときには、次に示す3つのことを脳裏に思い浮かべるようにしてください。

＜精神世界とコンタクトするためのチェックリスト＞

①コンタクトした精神世界の住人と、クライアントの関係をはっきりさせる

言葉を変えれば、リーディングを行っている人間が誰と話しているのかをしっかり把握しておくということです。クライアントの祖母なのか。もしそうなら、母方なのか、それとも父方なのか。そういったことです。

②クライアントが物理的反応を見せるような特定の情報を知らせる

クライアントが身を乗り出したり、唖然とした表情を見せたり、嬉しさのあまり涙をあふれさせるような、ピンポイントの情報を提供したいものです。クライアントが示す大きな反応が、リーディングの内容の信憑性を物語るといえるでしょう。

③愛に満ちた言葉を届ける

「おばあちゃんは、あなたを誇りに思っています」とか

「生きている間、つらくあたってすまなかった」といった種類のメッセージは、愛に満ちています。クライアントの心を打つものなら、本物のメッセージと考えていいでしょう。

ここに挙げた3つの要素は、重要かつ必要です。順番に制約はありませんが、すべてを満たしてください。次に示す事柄も参考にしてみてください。

＜名前が秘める力＞

人間の名前には、〝アカシック・レコード〟（または〝生命の書〟）を開く鍵となる響き、あるいは振動が秘められています。名前は、肉体を持って物質世界に生まれるはるか前から、人生の目的を最もわかりやすい形で示し、最も良く合致するよう、天界によって決められていました。あなたが生まれる前に両親に名前を告げたのは天使、あるいはあなた自身です。両親が聞き届けていたら、名前はそのままで決まったはずです。別の名前を付けられてしまったら、どこか違和感をぬぐえずに日々を過ごすことになるでしょう。でも、心配は要りません。名前は、自分に一番合っていると思えるものにいつでも変えることができます。

どの名前にも、特別な響きと振動が宿っています。世界中にジョンやメアリーが何人いるかはわかりませんが、それは関係ありません。たとえ同じ名前であろうと、一つひとつが独自の存在なのです。

クライアントが、精神世界の愛する人々とつながることを望むときは、「特別に言葉を交わしたい人がいますか？」という質問で始めてもいいでしょう。特別に話をしたい人がいるというのなら、その人の名前を尋ねてください。

次に、教えられた名前を脳裏に思い浮かべながら瞑想します。名前から受ける思いや感情、そしてイメージをクライアントに伝えましょう。人間でも動物でも、精神世界の住人とのコンタクトは、名前が宿す力で容易になります。

クライアントが話をしたい人が生まれ変わっていたり、あるいは精神世界の中の高いレベルに昇っていたりしても、名前を媒体にすれば正確な情報を得ることができます。本人にたどり着かなくても、精神世界の誰かがその人についてのメッセージを送ってきてくれます。

名前を変えたり、短くしたりしている場合（ミドルネームを使っている場合も同じです）など、考えられるすべての可能性を試してみてください。それで何の反応もなければ、霊能力を通じて何かが伝えられるのを待ってください。鍵の束から、一つひとつ試して正しいものを探し当て、ドアを開けるようなものです。思いの流れやイメージ、言葉、そして感情に従いながら、可能性を感じるものはすべて試してみてください。

あなたが見るもの、聞くもの、感じるもの、そして思ったことをすべてクライアントに伝えてください。エゴが邪魔をして、あなたが受けている印象は想像でしかないと主張するかもしれませんが、これは無視してください（エゴは、「そんなことは言わないほうがいい。間違っている」

といった言葉でセッションを邪魔しようとします）。

一度セッションが始まれば、精神的／物理的を問わず、見るもの、考えること、聞くものがすべて構成要素となります。例外となるものはひとつもありません。アリ（ant）が机の上を這っているときには、それがクライアントの叔母さん（aunt）を意味しているかもしれないのです。セッションを行っている部屋になぜか客室係が入ってきたら、クライアントと関係する精神世界の住人に、何らか形で清掃業に携わっていた人がいたサインかもしれません。頭上を飛ぶ飛行機は、クライアントが空軍に在籍していたり、航空業界で働いた経験があったり、あるいはかなりの頻度で旅行をする事実を意味するかもしれません。

セッションの間は、物理的な形で示されるサインの意味合いが直感によって補われ、説明できるでしょう。大切なのは、感じたことすべてをクライアントに伝えることです。私の個人的体験から言えば、思いやイメージが奇妙なものであるほど、メッセージの内容は正確となります。

＜限定的な情報と愛のメッセージを受け取る＞

ミディアムシップに不可欠な限定的情報と愛情に満ちたメッセージを受け取るためには、クライアント自身が精神世界の住人と言葉を交わす必要があります。生きている人間に対するのと同じように、心を込めて言葉をかけてもらうようにしましょう。精神世界の住人には、敬意を持って接してください。真摯な内容の質問をして、その答えをクライアントに伝えてください。ためらってはいけません。

クライアントが質問をしたら、その質問を受けるべき人に届けることだけを考えてください。送られてくる思い、感情、言葉、そしてイメージ（物理的／精神的の差はありません）を感じ取り、明確な言葉で伝えてください。

エンジェルリーディングを行うときには、圧倒的に美しく高いレベルのメッセージがたくさん送られてきますが、精神世界の住人に話しかけるときは少し違います。この種のコミュニケーションは、意味がないものに感じられるかもしれません。送られてくるメッセージは、仲介役であるあなたではなく、クライアントに向けられたものです。エゴは、あなたが理解できるメッセージだけを伝えるよう説得してくるかもしれません。しかしこのエゴの声は、あなた自身の〝失敗してしまうかもしれない〟という恐れの気持ちから生まれます。しかし、ミディアムであるあなたの役割と義務は、自分が理解できようとできまいと、そして、正しくないかもしれないと恐れの気持ちを抱こうと、受け取るすべてのメッセージを伝えることにあります。

＜クライアントを訪れている人をはっきりさせる＞

85ページの図を見てください。この図を使って、クライアントを訪れている精神世界の住人が誰であるのか見極めてください。この方法は、私自身が過去何年にもわたって行ってきた何千回ものリーディングにおいて、精神世界から受けた教えによって培ったものです。

精神世界の住人は、スピリットガイドの役割を果たしながら、誰にでも少なくとも一人は付いています。何人ものスピリットガイドがグループのようになって付いている場合もあります。親戚一同が常に集まっているようなものです。図を見てください。精神世界の住人が現れる場所は、〝極性〟に基づいています。

この図の極性は、右利きの人を準拠としています。左利きの人に対しては、この図と正反対の極性を適応してください（生まれたときに左利きで、子どもの頃右利きに直される人がいます。こうした場合も、エネルギー流れの見地からは左利きとして解釈してください）。

利き手は、肉体の男性面を意味します。図のように体の中心を通る線をイメージしてください。右利きの人の右半身は男性エネルギー、左半身は女性エネルギーで占められています。この法則に当てはめると、父方の血縁者は男性エネルギーで占められる側に、母方の血縁者は女性エネルギーに占められる側に立ちます。簡単に言いましょう。右利きの人の場合、母方の血縁者が左側に、そして父方の血縁者は右側に立つことになります。

旅立った人々はクライアントの後ろ側に立ちますが、まだ生きている人は、クライアントの前に現れます。クライアントが、まだ生きている娘を心配している場合、若い女性の姿が見えるかもしれません。クライアントの娘さんは、明らかに生きています。ただ、強い思いを抱いているので、オーラに映るような状態になります。クライアントを驚かせないためにも、こうした予備知識が必要でしょう。

現れる場所が頭に近ければ近いほど、クライアントと近い関係の人であると言えます。現れる場所と感情的な親しさに因果関係はありません。遺伝的に最も近い関係にある両親は、頭のすぐ後ろに現れることになります。亡くなった父親は、クライアントが右利きの場合、頭のすぐ後ろの右側（男性側）、そして亡くなった母親は左側（女性側）に現れます。現れる位置がクライアントの頭から離れるにしたがって、その人とクライアントの遺伝的なつながりは薄くなります。私は、両肩のあたりを〝祖父母ゾーン〟と呼んでいます。母方（女性エネルギー側の肩）と父方（男性エネルギー側の肩）に祖父母や曽祖父母が現れるからです。女性の姿が男性エネルギー側に現れることも、もちろんあります。クライアントを訪れる精神世界の住人の性別ではなく、現れる場所によって、父方の親戚か母方の親戚かを判別できるということです。

亡くなった友人や兄弟姉妹、義理の親戚は、すべてクライアントの左側に現れます。私はこの部分を〝友情ゾーン〟と呼んでいます。クライアントの頭から、腕を伸ばした長さあたりまでの範囲です。

目を閉じてクライアントの頭から肩にかけてのあたりを思い浮かべれば、その場を訪れている精神世界の住人が誰なのかを知ることができます。あるいは手を伸ばして、クライアントの上半身に向けてみてください。暖かく感じる場所や、手が引かれるように感じる場所があるはずです。こうした感覚は、愛されている者が近くにいる証拠です。何かを感じた場所と、図を見比べてください。訪れてくれた精神世界の住人とクライアントの関係を明らかにできたら、クライアントにその人の名前を尋ねてみてください。そして、前述した名前のテクニックを使って、情報とメッセージを受け取ってください。

セッションの障害を克服する

精神世界から送られてくるメッセージの最大の障害となるのは、ミディアムであるあなたの周波数が高すぎ、同時に相手側の周波数が低すぎる状態です。神や天使のほうが言葉を交わしやすいという人は、周波数が高く設定されている状態に身を置くことが多いので、低い周波数で伝えられるメッセージは感知しにくくなります。

この場合、〝接地〟することで周波数を下げることができます。最も簡単なやり方は、裸足になって両足をこすり合わせるか、裸足で外を歩くことです。また、セッションの間は高い周波数を発する宝石類をすべて外しておいてください。体内エネルギーの周波数が自然に高まってしまうからです。

練習を積めば、さまざまな種類の周波数に乗せて送られてくるメッセージを正確に受け取れるようになります。神やイエス、大天使と、精神世界の住人から発せられるメッセージを混同してしまったり、どちらかしか受け取れなかったりすることはなくなります。大切なのは、意図と鍛錬です。やろうと思う気持ちがあれば、必ずできるようになります。

内向的、あるいは外向的というクライアント自身の性格がリーディングの結果に影響を与えるか尋ねられることがよくあります。また、精神世界の存在を信じるクライアントに対するリーディングのほうが、疑念を抱いている人よりも簡単であるか尋ねられることもあります。

ミディアムシップを使ったリーディングでは、得られる情報の絶対量が精神世界の住人の性格によって決まると言えるでしょう。たとえば、精神世界やミディアムシップに疑念を抱くレポーターに対してリーディングを行ったことがあります。この人物は、カメラの前で私の努力を妨害しようとしていました。しかし、私が言葉を交わした精神世界の住人がとても積極的で協力的だったので、リーディングはとてもうまくいき、〝被験者〟となったレポーターも、カメラの前でリーディングの信憑性を認めざるを得なくなりました。

コンタクトを取ろうと思っている精神世界の住人が、外国語しか話せなくても問題はありません（幼児やペット、あるいは言葉を話せない人だったとしても同じです）。精神世界から伝えられるメッセージは、それを受け取る側がきちんと理解できる形になっています。私自身の体験から言えば、ごくまれに外国語の単語を伝えてくる人がいます。

こういう場合、私はその単語の発音を可能な限り正確に再現してクライアントに伝えることにしています。そして大抵は、クライアントに思い当たることがあるようです。知らない外国語の単語をあえてそのまま伝えることが、リーディングの信憑性を高めることにつながるときもあります。

現実は、ハリウッド映画と違います。精神世界の住人は、みな優しい人ばかりです。見た目も生きている人間と変わりなく、グロテスクな姿を見せることはありません。自分の素性が一目でわかるような姿をしています。たとえば、あなたのクライアントが10年前に赤ちゃんを亡くしたとしましょう。その子どもは、10歳くらいの姿、あるいは幼児の姿で現れます。つまり、クライアント自身が想像している姿で現れてくれるということです。また、一番気に入っている洋服を着て現れることが多いようです。それに加え、自分であることがわかるよう、お気に入りのカクテルグラスや葉巻、あるいは編み針、そしてゴルフのクラブなどを手にしています。

ミディアムシップのセッションは、癒しと喜びをもたらしてくれます。死に対する恐れが和らげられ、精神世界の住人からの貴重なメッセージが与えられます。どのセッションにも共通する、こんなメッセージがあります。

人生の一瞬一瞬を楽しみなさい。どんな生き方をしようと、人生が贈りものであることに変わりはないのだから。

私は、この言葉を心に刻み込んでいます。

精神世界の住人が姿を現す場所

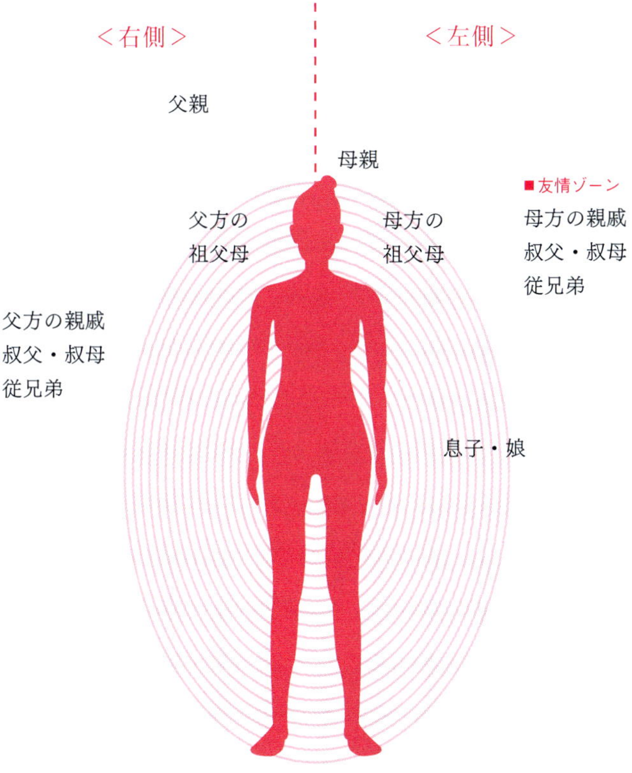

※この表は、右利きの人のどこに誰が現れるかについて記した表です。
左利きの人に関しては、すべて逆に考えてください。

MEMO

第4章

天使との対話

あなたには（すべての人と同じく）、ガーディアンエンジェル（守護天使）が付いています。人間に生まれつきの直感力が具わっていることは科学的に証明されています。この力を使って、あなたは自分、そしてほかの人に付いている天使たちと明確な形で言葉を交わすことができるのです。最初の一歩は、聖なるつながりの障害とならないよう、どんなに小さくても、恐れの気持ちを明らかにすることです。

私は、1996年以来、世界中で多くの人々に対して天使とのコミュニケーションについて語り、伝えてきました。その体験から言えるのは、私たち人間の最大の障害になるのは恐れの感情であるという事実です。恐れは無視するのではなく、あえて認め、きちんと対峙するのが最良の対抗策です。そうすれば、恐れの感情の言いなりになることはありません。

次に、天使と言葉を交わすことを決心した人々が抱く典型的な恐れの感情を（質問の形で）示しておきます。読み進むうちに、身体的反応があるかもしれません。「これは私だ！」と思い当たる人もいるでしょう。どんな恐れの感情も、それが光で包まれているところをイメージすることによって、天界に送ることができます。光に包んだ恐れの感情は、あなたのまわりにいる天使に手渡しましょう。心配なこと、気になることを手渡しながら、解放感を味わってください（恐れの感情を解放する方法については、後に詳しく触れていきます）。

恐れの感情①天使に話しかけることは冒涜？

この恐れの感情は、組織化された宗教思想による聖典の解釈から生まれるものです。あなた自身が、話しかけるべき対象は神やイエス、その他のスピリチュアルな存在だけだと心から信じているのなら、その姿勢を崩す必要はありません。信念に反する形で天使に話しかけると、不必要な恐れが生まれかねません。負の感情は可能な限り減らすべきでしょう。

でも、考えてみてください。天使＝angelという単語は、前述したとおり〝神の使者〟を意味します。天使は、神と人間の間を行ったり来たりしてメッセージをやりとりしてくれる、天界からの贈りものです。全幅の信頼を置くことができる導きを、聖なる正確さで私たちに届けてくれる存在です。そして、どんな贈りものにも言えることですが、贈る側は楽しんで使ってもらうことを願っています。聖書をはじめとするさまざまな聖典に、天使と言葉を交わした人々の逸話が残されています。天使と言葉を交わすのは、ごく自然なことであり、今日も続いています。

恐れの感情②メッセージを受け取れなかったら？

天使とのコミュニケーションが妨げられる第一の原因は、メッセージを受けようと思うあまり、一生懸命になりすぎることです。こうした気持ちは、天使の言葉を聞けないかもしれない、あるいは自分にはガーディアンエンジェルが付いていないのではないかという恐れの裏返しです。

天界とつながろうとする体験は、あなたの心の奥底にある信念に影響を受けます。恐れの感情に基づく思いは、天使の言葉の響きもくぐもらせてしまいます。楽観的で積極的な態度を保っていれば、天使とつながるチャンスも増えていくでしょう。無理やり何かを起こそうと思ってはいけません。メッセージを送ってくれるのは、神や天使です。あなたはただ信じて、すべてを委ねましょう。あなたがすべきは、送られてくるメッセージをすべて受け容れる体勢を整え、しるし（思いや感情、ビジョン、あるいは言葉）を見逃さないようにすることです。

恐れの感情③メッセージを創り上げていたら？

本物の聖なる導きは、気持ちを高め、インスピレーションを与え、やる気を起こさせ、前向きで、愛に満ちています。ものの見方、健康、人間関係、環境、そして世界。天使のメッセージは、常に何かを高め、より良くする方法について知らせてくれます。天使は、感情や思い、ビジョン、そして聴覚を通じて伝えたいことを訴え続け、それを受ける者が示したとおりの行動を起こすまで待ちます。送られてくるメッセージが本物かどうかわからないときには、そのまま少し待ってみてください。本当の聖なるメッセージは、繰り返し伝えられてきます。その一方で、偽のメッセージは無視しているうちにひとりでに消えてしまいます。

エゴは、天使と言葉を交わす資格がない、直感力がないから天使などと話せるわけがないと言って、メッセージを受け取ろうとする気持ちをくじこうとします。こうした〝なりすまし現象〟に注意してください。否定的な内容のメッセージは、恐れの感情とエゴが生むものにほかなりません。

恐れの感情④人生の教訓は自分で学ぶべき？

聖なる存在の介入を求めることを、ずるいと感じる人もいるようです。学びと成長を得るため、人間は苦しむものであり、窮地に陥るのも、そこから脱出するのも個人の責任であるという考え方です。もちろん、苦労が人を成長させるというのは真実でしょう。それでも天使は、安らぎを通じ、より早く成長できる事実について語りかけてきてくれます。そして安らぎには、ほかの人々にもインスピレーションをもたらすという、苦労にはない側面があります。

ただし天使も、あなたのためにすべてを行ってくれるわけではありません。共にゴールを目指す過程で、あなたのパスを求めてくるチームメイトのような存在です。協力を頼めば、奇跡的な方法で介入してくれることがありますが、あなたが自分で自分を助けられるよう、聖なる導きを与えてくれることのほうが圧倒的に多いと言えるでしょう。

恐れの感情⑤本当に天使と話している？

神と大天使、天界の英知、そして天使たちは、愛に満ちたポジティブな言葉で語りかけてくれます。〝あなた〟そして〝わたしたち〟という言葉遣いも特徴のひとつです（エゴは、すべての言葉を〝わたし〟で始めます）。精神世界の住人たちは、生きていたときのそのままの口調で話します。

誰かがネガティブな響きの言葉を発するのを聞いたら、物質世界の住人であろうと、精神世界の住人であろうと、その人と話をするのをすぐに止め、大天使ミカエルに声をかけ、そばに来てもらってください。ミカエルがあなたから低いエネルギーを引き離し、負のエネルギーから守ってくれます。

天使と言葉を交わすことはとても楽しく、気持ちを高める体験です。声を聞く。姿を見る。そばにいるのを感じる。そして、新しい見識を与えられる。どんな形であれ、心から楽しめるでしょう。

エゴに基づく恐れの感情に対処し、癒す

メッセージの信憑性を疑ってしまうこともあるかもしれません。そんなときには、スピリチュアルな存在とのコミュニケーション能力を、天使たちが高めてくれます。次に、恐れと不安に対処し、癒すための方法を記しておきます。

恐れや不安の対処法①しるしを求める

本当に天使の声を聞いているのか自信がなくても、天使たちの耳にはあなたの声が確実に届いているので、安心し

てください。どうしても自信が持てないときには、メッセージの内容が本当であることを示すしるしを送ってくれるよう頼んでみてください。口に出して言っても、脳裏に思い浮かべるだけでも、あるいは手紙に記してもかまいません。ただし、しるしが送られてくる形を限定するような頼み方は避けてください。

そして、メッセージの内容に関係する出来事に細心の注意を払うようにします。たとえば、特定の人に関するメッセージの内容について頼んだ場合、その人を連想させる曲がどこからともなく聞こえてきたり、同じ名前の人と知り合ったりすることがあります。

同じメッセージについて3回以上聞いたり、見たり、思ったり、あるいは感じたら、それは天使が送ってきてくれているしるしです。

恐れや不安の対処法②救いを求める

天使と話すのも、人間と話すのも変わりはありません。必要としていることを明らかな形で知らせましょう。たとえば、誰かが囁き声で話しかけてきたら、あなたはもっと大きな声で話してくれるよう頼むはずです。また、話の内容がわからなかったり、わからない言葉を使っていたりすれば、意味を確認するでしょう。これは相手が天使であっても同じです。

天使の言葉が聞こえなかったら、大きな声で話しかけてくれるよう頼んでください。メッセージの意味がわからなかったら、細かい補足を与えてくれるよう頼んでください。

恐れや不安の対処法③コミュニケーション

恐れの感情にとらわれたまま、天使や精神世界の住人とのコミュニケーションを実現させることはできません。天界も、メッセージを押し付けることであなたを怖がらせるようなことは望みません。正直な態度で自分自身、そして天使と向き合い、コミュニケーションに対する気持ちを確かめてください。

恐れや不安の対処法④天使に渡す

疑う気持ちが少しでもあるのなら、自分だけで抱え込まずに、天使に渡してください。深い呼吸を繰り返し、恐れの気持ちを吐く息に乗せ、ガーディアンエンジェルに向けましょう。あるいは、泡のような形をした恐れの気持ちを手渡すところをイメージしてください。ガーディアンエンジェルは、あなたの恐れの気持ちを聖なる光に当て、本質を変え、愛と教訓だけが残るようにしてくれます。心配なことがあるとき、そして助けてほしいことがあるときは、手紙を書くのもいいでしょう。

覚えておいてほしいことがあります。恐れの気持ちがあるかないか。それは問題ではありません。恐れの気持ちにどのように対処するか。それが大切なのです。

恐れや不安の対処法⑤ジョフィエルを呼ぶ

第２章で記したように、ジョフィエルという名前には〝神の美〟という意味があります。人の思いを美しくして心配や悲観主義から離し、信念と楽観主義に向けるのもジョフィエルが担う役割のひとつです。気分が沈みがちで、辛いことばかりに思いが向いてしまうことには、ジョフィエルを呼んで前向きになれるようにしてもらってください。ジョフィエル、助けてください！と思うだけで、すぐにそばに来てくれます。ただし、ジョフィエルと共にあるためには、家や仕事場を整頓しておかなければなりません。突然クローゼットの中を整理したくなっても、驚かないでください。それもジョフィエルがすぐそばにいてくれる証拠です。

恐れや不安の対処法⑥慌てない

天使とつながっているときには、両肩の力を抜き、深い呼吸を続けてください。心と体をリラックスさせることによって、ハイヤーセルフが目覚めます。緊張や過度の努力は意識を低め、エゴの悪影響が強くなる状況を生んでしまいます。

エンジェルリーディングの最中に緊張を感じたら、少し休んで自分を取り戻しましょう。両目を閉じて、時間に関する心配を解き放ち、深呼吸を３回繰り返してください。白い光が頭頂部から体に流れ込んでいるところをイメージします。この光が、ストレスを生むエネルギーをすべて引きつけてくれます。あなたを救ってくれる天使の名前を脳裏に思い浮かべ、そばに来て助けてもらってください。そして、リーディングを続けましょう。

恐れや不安の対処法⑦ライフスタイルを見直す

天使は人間に働きかけ、食べ物の選択や睡眠のパターン、そしてエクササイズの習慣を向上させるよう諭します。これは、ライフスタイルが霊感と直感に直結するからにほかなりません。化学物質が大量に含まれた食品ばかり口にして十分な睡眠をとらず、間違った形のエクササイズを繰り返していては、思考能力が曇り、エネルギーのレベルが下がってしまいます。精神の感度を最高に保つため、よく考えて食べ、眠り、そして体を動かしましょう。そうすることによって、天使とのコミュニケーションの質も劇的に向上します。グルテン抜きの食事や菜食中心の食生活をお勧めします。水をたくさん飲み、化学物質を避け、十分な睡眠時間を確保し、定期的に体を動かす、これが大切です。天使に尋ねれば、あなたにとって最高のライフスタイルについてのヒントを与えてくれるでしょう。ライフスタイルを見直すことが必要だと感じた天使は、あなたが具体的な行動を起こすまで何回もメッセージを送ってきます。このメッセージを無視することは、なかなかできません。

恐れや不安の対処法⑧練習する

どんなことにでも言えることですが、聖なる存在とのコミュニケーションにおいても、自信を得るためには練習を積むしかありません。最初のうちはうまくいかないかもしれません。すぐに成功すると思ってはいけません。天使たちと調和しながら、前向きな気持ちを保ってください。

天使とのコミュニケーションの内容は、専用のノートに記録しておきましょう。しばらくすると、天使が将来について的確に予言し、あなたが人生にとってプラスにできる選択をできるよう、メッセージを送り続けてくれることを確認できるでしょう。天使のメッセージに盛り込まれた重要な情報には、すぐ気づくことができるはずです。そしてそれ自体が、聖なるメッセージにほかならないのです。

MEMO

第5章

4つの〝クレア〟

あなたは、そばにいてくれるガーディアンエンジェルから、毎日、いつの瞬間も天使のメッセージを受け続けています。問題は、天使が人間に話しかけるかではなく、人間が天使の声に気づけるかなのです。天使の声に気づかない理由は、人間が予測していない方法で言葉をかけてくるからかもしれません。ほかの天界の存在と同じく、天使には4つのコミュニケーション方法があります。

天使とのコミュニケーション①視覚

脳裏に浮かぶ光景、あるいは目で物理的に見るもの、夢、目の前に示されるしるし、煌き輝く光、写真に写るオーブ（光球）、目の前を移動する物体、連続して目にする444や111といった特徴のある数字など。視覚を通してメッセージを受けることを〝クレアボヤンス〟（はっきりと見る）と呼びます。

天使とのコミュニケーション②感覚

何の前触れもなく生まれる喜びや興奮、思いやりなどの感情、周囲の環境に関係なく感じる暖かさや、空気の温度・圧力の変化、スピリチュアルな存在がすぐそばにいる感覚、誰かに触れられた感覚、花やタバコの煙など物理的発生源がないのに漂ってくる香りなど。感覚を通じてメッセージを受け取ることを〝クレアセンシェンス〟（はっきりと感じる）と呼びます。

天使とのコミュニケーション③思い

自分でも方法はわからないのに、自然に何かを知っていることがあります。心理学で〝アハ・モーメント〟（何かが突然ひらめく瞬間）と表現されるものには、やり方も知らないのに何かを直してしまう、誰かが隣で囁いたようにスピーチや作文で素晴らしいフレーズを思いつく、新しい発明やビジネス、そして製品開発のヒントを得ることなどが含まれます。いずれも、何かが起きた直後に「そう思った」と感じる瞬間です。こうした状態が〝クレアコグニザンス〟（はっきり考える）と呼ばれます。

天使とのコミュニケーション④音

眠りから目覚める瞬間に、名前を呼ばれたような気がしたことがありませんか？　どこからともなく聞こえてくる、天界のものとしか思えないような美しい音楽、何かについて忠告する声、知りたいと思っていたことについて交わされるテレビやラジオでの会話、心や耳に響く愛に満ちたメッセージ、あるいは鈴のような高い音。音を通じてメッセージを受け取ることを〝クレアオーディエンス〟（はっきり聞く）と呼びます。

自分の〝クレア〟を見つけるQ＆A

天使は、ここで紹介した4つの方法（視覚、感覚、思い、音）を組み合わせながら私たちに話しかけてきます。ほとんどの人に、4つの〝クレア〟の中で特に優れているものがひとつあります。私は、4つの中でも最も得意なものを〝プライマリー・クレア〟と呼んでいます。天使とのコミュニケーションにおいては、特に優れたクレア能力を残りの3つが補足するという形が一般的です。

あの人はとても目がいいとか、この人は聴力が抜群であるとか、あるいは運動神経が優れているという言い方をします。こうした個人的資質がクレア能力にも対応し、聖なるコミュニケーションの方法にもちがいが生じます。〝プライマリー・クレア〟を知るため、次に示すQ＆Aを行ってみてください。

①初対面の人を前にするとき、まず目が行くのは？

a. 洋服や髪型、微笑み、靴、全体的アピールなど、その人の外見

b. その人から受ける印象。一緒にいて心地良い、楽しい、安心する、など

c. その人に興味を見出す、あるいは、仕事の上で助けてくれそうだと感じる

d. その人の声や笑い方の響き

②ごく最近の旅行を思い出してください。一番強く残っている印象は何ですか？

a. 美しい自然の風景。建物、実際に目で見たもの
b. 旅で得た安らぎ、ロマンティックな気分、あるいはワクワクする気持ち
c. 旅行中で得た文化的、歴史的知識
d. 静けさや波音、鳥のさえずり、木々の葉がこすれ合う音、音楽など

③とても面白かった映画を思い出してください。その映画について、まず思い浮かぶことは何ですか？

a. 魅力的な男優や女優、照明効果や衣装、あるいは風景
b. 笑わせられたり、泣かされたりしたところや、感動した要素
c. 興味深い筋立てや、登場人物が学んだ人生訓
d. 音楽や俳優の声

同じ項目を選んだ質問はいくつありましたか？　それがあなたの〝プライマリー・クレア〟となります。

aが多かった人＝クレアボヤンス型

あなたの視覚は優れていて、人間や場所などの外観を何よりも先に感知します。芸術家肌タイプかもしれません。もし芸術面で創造的でなければ、ファッションやインテリアデザインなどに関する卓越した目を持っているでしょう。あなたにとって視覚的調和は大切であり、目で見て楽しい

ものが何より好きです。天使が近くにいるときには、煌き輝く光を目の端でとらえるかもしれません。それと同じく、目の端で精神世界の住人を見たこともあるはずです。ものごとの可能性も目で見ることができ、その可能性や意図を実際の行動に移す能力も具えています。

天使は、脳裏に浮かぶイメージを通じてあなたに語りかけます。物理的に目で見ることができるしるし（あなたにとって意味があるものすべて）を送ってくれることもあるでしょう。同じ数字の並び（111や444など）、偶然拾ったコイン、目の前を飛ぶ蝶、鳥、そして人々を取り囲む色など、目に見える形でメッセージがもたらされます。自分の目で見るものを信じてください。すべて、天界から送られてくるメッセージなのです。

bが多かった人＝クレアセンシェンス型

あなたは物理的、そして感情的な感覚で世界と接するタイプの人です。感覚が鋭敏なので、人混みが苦手かもしれません。多くの車が行き交う道路や高速での運転も好きではないでしょう。ときとして、自分と他人の感情が交じり合ってしまうこともあります。あなたはとても思いやりがあり、他人の痛みが良くわかる人です（自覚がないままそうしていることもあるはずです）。あふれる感情を抑えるため食べ過ぎてしまったり、ほかの種類の中毒症状に悩まされたりすることもあります。ほかの人を幸せにするため手助けすることを願うので、ヘルパー的な仕事に就くか、何らかの形で支えを必要としている人と関わり合っていくことになるかもしれません。あまりにも感受性が高いことをからかわれるかもしれませんが、その感受性が天界からのメッセージを受ける最高の手段となります。

天使は、あなたの心と体を通じて話しかけてきます。自分が正しい道を歩んでいる指標は、喜びの感情となってもたらされます。恐れを抱いているときには、変化と癒しが必要である事実を示すしるしがもたらされます。心や体が疲れたときには休みましょう。休んで元気が出たら少し遊び、肉体を慈しみましょう。目の前にいる人が信用できるかどうか、すぐわかるようになります。あなたの直感にまちがいはありません。精神世界とつながっているときは、空気圧と温度が変わるのが感じられます。天使をはじめとする精神世界の住人がそばにいることを感じられるようになります。天使があなたの肌や髪に触れるのを感じることもあるはずです。気のせいだと思わないでください。精神世界は、こうした方法であなたに働きかけているのです。

cが多かった人＝クレアコグニザンス型

あなたは知的なタイプで、思考や啓示を媒体として直接的なコミュニケーションを築きます。何の予備知識もないまま、特定の事実（大切なことも瑣末なことも）について、ただ〝知っている〟ということが多いはずです。まるで、神があなたの脳に直接ダウンロードしたかのように知識を得ているのです。世間話レベルの会話はあまり得意ではなく、深く議論できる話題のほうが好きでしょう。多くの人々がいる場は好まず、興味がある話題を一対一でとことん議論することを好みます。説明書を見ないまま家電や電子機器を修理したり、人や状況を癒したりできるのも、このタイプの人の特徴です。〝知ったかぶり〟と呼ばれたのも一度や二度ではないはずです。天使の存在や霊能力に疑念を抱いているかもしれませんが、科学的に説明できない劇的な方法で命を救われるような状況を体験すれば、考え方が一変するでしょう。

こうしたタイプの人に、天使は言葉ではなく印象で語りかけます。心で受け取るものをコミュニケーションの媒体にしようとするのです。特定の情報や救いが欲しいとき、それを脳裏に思い浮かべてください。答えは、聖なる導きとして、あなたの思いの中でもたらされます。発明、人にものを教える方法、そしてビジネスに関する素晴らしいアイデアを得られるでしょう。すべての〝アハ・モーメント〟が、天使から与えられる具体的なヒントなのです。〝クレアコグニザント〟であるあなたは、自分の知識を共通情報であると感じがちですが、それはちがいます。あなたの祈りに対する天界からの答えであり、また、天界からの語りかけでもあるのです。

dが多かった人＝クレアオーディエンス型

さまざまな音に対して非常に敏感なタイプの人で、ちょっとでも音程が外れたり、不快な音を耳にしたりすると身が縮まるような気になります。一度読んだものを、そのまま脳裏に焼き付ける能力を持っている人を形容する、〝写真のような記憶力〟という表現があります。クレアオーディエンス型の人は、一度耳にしたメロディーを決して忘れません。また、旅行中は耳栓をしておくほうがいいでしょう。あまりにも音に敏感なため、飛行機の中でもホテルの部屋でも完全にリラックスすることができなくなってしまいます。まったく同じ理由で、コンサートでは前から２～３列目の席は避けるべきです。あまりにも音が大きすぎてしまうのです。目覚まし時計の音も、ブザーやベルではなく、ソフトな音楽を選びましょう。

クレアオーディエンス型のあなたに対して、天使は心の内外に響く言葉で語りかけてきます。一刻を争う場面では、物理的に耳に響く大きな声が危険を知らせてくれます。天国から響く声は愛に満ち、的確な内容の指示とインスピレーションをもたらしてくれます。英雄的行為や、あなたの能力以上と思われることをするよう言われることもあります。朝目覚める瞬間に、天国の音楽と自分の名前を呼ぶ声を聞くことがあるでしょう。心配しないでください。また、たとえ自分の声にそっくりの響きだったとしても、こうした現象は気のせいでも思い込みでもありません。響いてくる声が愛に満ち、何かをより良くするよう諭してきたら、それは天国があなたに直接働きかけているのです。

4つの〝クレア〟を浄化する

私自身が世界中で行ったアンケートでは、ほとんどの人が感覚を通じて天使からのメッセージを受け取るという結果が得られました。二番目に多かったのは、視覚を通じたコミュニケーションです。思いや言葉を通じてメッセージを受ける人は、あまり多くないと言えそうです。

〝プライマリー・クレア〟を高め、ほかの3つのクレアを今よりも開く方法があります。ポジティブな内容の言葉を声に出して言うアファメーションもそのひとつです。「精神世界からのメッセージを正確に聞き取ることができる」「天使が送ってくれるメッセージをはっきりと理解できる」などと言ってみましょう。「イメージが湧かない」、「メッセージなど受け取ったことがない」など、ネガティブな文章は禁物です。負のエネルギーが、霊感の成長を妨げてしまいます。大原則は、恐れるものではなく、望むものを認めることです。

もう一つの方法は、チャクラクリアリングです。人間の体には､霊能力を司るいくつかのエネルギーポイント（チャクラといいます。チャクラという言葉は、古代東洋言語のサンスクリット語で〝車輪〟を意味します）がありますが、これに聖なる光を送って浄化するのです。4つのクレアに対応するチャクラは、次の通りです。

＝クレアボヤンス＝

サードアイ・チャクラ（眉間）

＝クレアセンシェンス＝

心臓のチャクラ（胸）

＝クレアコグニザンス＝

王冠のチャクラ（頭頂部）

＝クレアオーディエンス＝

耳のチャクラ（左右の眉上）

すべてのチャクラに関する詳細は、私のＣＤブック『チャクラクリアリング―天使のやすらぎ』（発行元：JMA・アソシエイツ）を参照してください。

宝石を使った伝統的な方法も、チャクラを開くのに有効です。それぞれのクレアに対応する宝石を示しておきます。身に着けたり、手で握ったりして使ってください（宝石は一種類だけでも、いくつか組み合わせて使ってもかまいません）。

＝クレアボヤンス＝

アメジスト、石英、ムーンストーン

＝クレアセンシェンス＝

ピンクトルマリン、ローズクォーツ、スミソナイト

＝クレアコグニザンス＝

スギライト

＝クレアオーディエンス＝

ファントムクォーツ、ガーネット

MEMO

第6章

クレアボヤンス

Angel Therapy

天使は、私たちが彼らに対して感じるのと同じくらい—あるいはそれ以上—、私たちとつながりたがっています。天使は、その存在をはっきりと見せることによってコミュニケーションを助けてくれます。天使の姿を目の当たりにした人々の体験談については、『エンジェル・ビジョン』（発行元：ダイヤモンド社）を参照してください。

天使の姿を見るということ

私が主催する霊能力開発コースに参加している多くの生徒が、生きている人間とまったく同じ外見で天使を見ることがクレアボヤンス能力だと思っているようですが、これはちがいます。心の眼ではなく、体の外で視覚を働かせることだけに意識が向いた考え方です。

クレアボヤンス能力は空想するとき脳裏に浮かぶイメージ、あるいは眠っている間に見る夢に近いものです。心の眼で見たからといって、その現実性が低く、内容が信頼できないというわけではありません。この事実について語ると「それなら、結局天使を見ていたことにちがいはないのね！」と驚く生徒も少なくありません。

明確な意図とたゆまぬトレーニングで、目を開けたまま天使の姿を見ることができるようになる人は少なくありません。言葉を変えましょう。目の前に立つ人を見ているとき、その人の頭の上や肩のあたりを飛ぶ天使の姿が見えるようになるのです。ただし、初心者は両目を閉じなければ、天使の姿をありのままでとらえることはできません。目を閉じて意識を集中させれば、ほかの人のガーディアンエンジェルを見ることができます。

最初のうちは光や色しか見られないことが多いでしょう。天使の頭の部分や翼の一部が一瞬だけ見えることもあります。半透明で色彩が感じられない姿の天使が、光に包まれているところをよく見るという人もいます。その一方で、着ている服や髪の毛の色まではっきりとわかるほど鮮やかな姿の天使を見る人もいるのです。

ストレスがかかりやすい状況や気持ちを込めた祈りの後、鮮やかな形で天使の訪れを体験する人もいます。意識がはっきりした状態で天使を見るのです。その姿は普通の人間と同じこともあれば、絵画でよく見るガウンを着て翼を生やした典型的な姿をしていることもあります。外見がいかなるものであれ、天使は明らかにそこに存在しています。物理的に触れ合ったり、声を聞いたりできるので、普通の人だと思っていたのに、突然姿を消すのを見て驚き、物質世界の存在ではなかったことに気づくという場合も少なくありません。

写真に写る〝オーブ〟

ごく最近、天使たちはまったく新しい方法で人間の前に姿を現すようになりました。写真に、光の球のようなものが写ることがあります。こうした光球を〝オーブ〟と呼びますが、これも天使の姿なのです。オーブは、天使が実在する証拠にもなるでしょう。写真を現像すると、画面に白い光の球が浮かんでいます。屋外で撮った写真に妖精が写り込んでいることも珍しくありません。妖精は、画面で見ると野原や森を飛び回る虹色のオーブになります。

生まれたばかりの赤ちゃんやスピリチュアリティーに高い関心を持つ人の写真にも、オーブが写り込むときが多いようです。精神世界に関する講演を聞きに行ったら、会場で天使の話をしながら写真を撮ってみてください。たくさんのオーブが写り込むでしょう。天使の姿を見たいという気持ちを強めながら、シャッターを押してください。

天使に向かって、写真に写ってくれるよう頼んでみるのもいいでしょう。デジタルカメラを使うと成功率が高まるようです。

その他のエンジェルビジョン

天使の姿を見る方法には、次のようなものもあります。

天使の姿を見る方法①夢

バージニア大学のイアン・スティーブンソン博士は、〝夢の中での訪れ〟についての集約的な研究を行い、何千という数のケースを集め、分類しています。眠りの中、亡くなった人々や天使たちの訪問を受け、言葉を交わす人々は少なくありません。スティーブンソン博士は、夢の内容を決定するのは〝鮮明度〟であるとしています。精神世界の住人が関わる夢は、普通の夢と比べて明らかにリアルで、鮮明なのです。色が鮮やかで印象が強く、目が覚めた後も、夢での体験の現実感が消えません。何年経っても細部まで覚えていることも決して珍しくないのです。

天使の姿を見る方法②天使の光

一瞬の光の煌き、そして輝きは、天使がすぐ近くにいることの証です。視野の中を移動する天使のエネルギーが、光となって目に映るのです。天使の光は、車の排気管から出る火花にも似ています。エネルギー摩擦によって生じるもので、エネルギー波が見えるようになったことの証明にもなるでしょう。

天使も、そして天界の英知も、色彩豊かな光を発します（巻末に、大天使が放つオーラの色をまとめてあります）。白い光は、天使がすぐそばにいる証拠なのです。

世界中から私のもとに寄せられる手紙の約半数に、定期的に光を見るという事実が記されています。錯覚と言われるのが怖くて、事実を話せずにいる人もたくさんいます。天使の光は、錯覚ではありません。天使の光を見るのはきわめて正常な体験であり、気のせいなどではありえないのです。

天使の姿を見る方法③色鮮やかな霞《かすみ》

緑や紫などの色がついた霞は、天使や大天使がすぐそばにいる証拠です。

天使の姿を見る方法④天使の雲

空を見上げたとき、天使としか思えない形をした雲が浮かんでいることがあります。もちろん、こうした変わった形の雲も、天使があなたと共にあることを知らせるために送ってくれるメッセージです。

天使の姿を見る方法⑤しるし

抜け落ちた羽根、コイン、動かなくなった時計、あるいは、家の中で置き場所が変わっていたもの、点滅する光。こうしたものはすべて、天使があなたに向けて「ここにいますよ」と語りかけているしるしにほかなりません。生きているときに親しかった人々は、鳥や蝶、蛾、あるいは花などによって自分の存在を知らせます。

天使の姿を見る方法⑥ビジョン

脳裏に浮かぶイメージ、ビジョンあるいは幻視と呼ばれるものによって、特定の人や状況に関する正確な情報がもたらされます。人生の目的についての導きや変化についてのビジョンは、天使がすぐそばにいる証拠にほかなりません。象徴的なものが思い浮かぶときも同じです。たとえば、医療関連分野で働いている人を目の前にするとき、私には必ず看護師の帽子が見えます。天使は、しばしばこのような情報を送ってきてくれます。世界をよりよい場所にしようという志を持って生きている人々は、ビジョンを体験することも多いのです。

〝第三の目〟を開く７つのステップ

両目の間に、〝サードアイ・チャクラ〟と呼ばれるエネルギーポイントがあります。クレアボヤンス能力は、〝第三の目〟を意味するこのチャクラによって司られています。精神世界を覆うベールを通して向こう側を見るためには、第三の目を開く必要があります。次に、第三の目を開くための７つのステップを記します。

〝第三の目〟を開くステップ①

最初に「見ることは危険ではない」と自分に言い聞かせ、この事実を確認します。アファメーションは繰り返し行ってください。緊張や恐れを少しでも感じたら、深い呼吸を繰り返してください。そして吐く息の一つひとつに、クレアボヤンス能力に関する心配を乗せて体の外に出してください（後により詳しく述べます）。

〝第三の目〟を開くステップ②

内部が澄んだ水晶を利き手（文字を書くときに使う方）に持ちます。頭上から射し込む白い光が、手に持った水晶にまで届くのをイメージします。この白い光が水晶を浄化し、負のエネルギーを取り去ってくれます。

〝第三の目〟を開くステップ③

水晶を両目の間の少し上に持ち上げます。中指を動かし、眉間を指すようにします。水晶に宿るパワーが、中指を通じて眉間に届きます。

〝第三の目〟を開くステップ④

利き手ではないほうの中指の指先を、後頭部の一番高いところ（頭頂部ではありません）に置きます。

〝第三の目〟を開くステップ⑤

利き手の中指の先から白い閃光がほとばしり、サードアイ・チャクラを貫くのをイメージしてください。これによって、エネルギーの回路が構築されます。利き手からエネルギーを発し、もう一方の手で受けている状態です。エネルギーは、頭部を巡りながら不必要なものを浄化し、第三の目が開きます。すべて終えるまでに、2分あれば十分でしょう。頭部に圧力、そして指先に暖かさを感じ、手にもちくちくする刺激があるかもしれません。直接的な形でエネルギーと接しているときには、ごく普通の現象です。

〝第三の目〟を開くステップ⑥

次に、水晶を利き手に持ったまま、右手を右耳に持っていってください。左手は左耳に持っていきます。白い光が、利き手の中指の先からほとばしるのをイメージしましょう。そして、後頭部の一番高い部分に向けて両手を同時に動かしていきます。手で汚れを落とすように、この動作を7回繰り返します。第三の目の裏側（普通の眼球と同じです）と後頭葉をつなぐのをイメージしましょう。後頭葉は、ビジョンを認識する部分です。後頭部の形に沿った、薄く丸い頭蓋帽のような形をしています。

あなたは、白い光を使って、第三の目の後ろ側から後頭葉をつなぐ通路を作っています。13センチほどの溝を掘るような感じです。この溝によって、第三の目でとらえたイメージが後頭葉に至り、認識できるようになります。ビジョンをより良く感知し、その意味をより良く理解できるようになるのです。

私は、大きく開いたきれいな第三の目を持つ多くの人々と会ってきましたが、こうした人々もまた、クレアボヤンス能力がないと感じ、または限度があると思っているようでした。第三の目がきれいで、大きく開いているだけでクレアボヤンス能力が約束されるわけではありません。後頭葉としっかりつながっていなければ、ビジョンを感知することも理解することもできないのです。プロジェクターのスイッチを入れなければ、スクリーンに画像は映し出されません。それと同じことです。

〝第三の目〟を開くステップ⑦

最後のステップは、利き手で水晶を持ちながら中指の指先を先端に当て、サードアイ・チャクラの上でかざします。こうすることによって、無意識のうちにサードアイ・チャクラの上に置いてしまったものを取り除くことができます。窓のブラインドを開けるような気持ちで、上へ上へと手を動かしましょう。息を詰めると一連の流れが滞ってしまいます。スムーズなリズムの呼吸を心がけましょう。サードアイ・チャクラを覆うものを取り除く動作は、完全に取り除かれたことが感じられるまで、あるいは少なくとも7回続けます。

ここで紹介した方法は、ほかの人に対して施すこともできます。また、スピリチュアリティーに興味があり、心を大きく開くことができる人、特にエネルギーヒーリングの体験がある人に頼んで、あなたのサードアイ・チャクラを浄化してもらうこともできます。7つのステップは自分だけで行うこともできますが、明らかな意図を持った人（猜疑心がゼロに等しい人）の介在によって、浄化のパワーが何倍にも増幅します。

7つのステップを終えた後は、それまでよりもビジョンが格段に鮮明になるでしょう。両目を閉じて美しい庭を思い浮かべれば、以前よりも色鮮やかな光景が脳裏に広がるはずです。夢も鮮明になり、密度が高くなるので、内容を長い間覚えていられるようになります。また、目で見たものをそのままの形で記憶する能力も伸びるでしょう。

脳裏に浮かぶイメージが、そのままの形で存在するとは限りません。すべては、あなたの頭の中にあるスクリーンに映し出される光景です。練習すれば、頭の中で生まれる光景を自分の外の世界に投影できるようになります。ただし、心の眼で見ていても、肉体的な器官である両目で見ていても、ビジョンの重要性に差はありません。体の外でとらえても、体の中でとらえても、同じ意味なのです。私自身は、脳裏に浮かぶイメージも両目で見るものも、霊能力を媒体として受けるイメージもまったく同じです。ビジョンは、受ける場所が重要なのではありません。大切なのは、それに気づき、意識を向けることです。天使は、視覚を媒体としたメッセージを送ってくることが多いのです。

クレアボヤンスの障害となるものを癒す

７つのステップを終えた後も、深みや明確さ、そして色鮮やかさなどについて思うようなビジョンが得られないときは、あなた自身が何らか恐れを抱いているのかもしれません。それがクレアボヤンス能力の障害となっているのです。こうした恐れの感情はごく正常であり、あなたの心の準備さえ整えば、すぐに癒すことができます。次に例を示しておきます。

天使
大天使
ミディアムシップ
天使との対話
4つの"クレア"
クレアボヤンス
クレアセンシェンス
クレアコグニザンス
クレアオーディエンス

クレアボヤンスの障害①コントロールを失う

＝恐れ＝

クレアボヤンス能力を全開にしてしまうと、天使から送られるビジョンに圧倒され、行く先々で精神世界の住人を見ることになる。あるいは、神によって管理され、とても受け容れられないような計画を強いられるかもしれない。

＝真実＝

クレアボヤンス能力とは、自分の意志で好きなときにスイッチを入れて稼動させたり、オフにしたり、段階的に感度を下げていくこともできます。神の意思は、あなた自身が宿すハイヤーセルフの意思とまったく同じです。多くの幸せとさまざまな出来事があなたを待っています。さらに、クレアボヤンス能力によって、人生のすべての面においてより大きな意味合いに気づくことになるでしょう。

クレアボヤンスの障害②恐ろしいものを見る

＝恐れ＝

お化け屋敷や、モンスターが出てくる映画は耐えられない。薄気味悪いものが自分の家を歩き回っているところを目撃するなど、とんでもない。

＝真実＝

映画『シックス・センス』を見たことがありますか？

この映画で目を覆うことがなかったら、まったく問題ありません。精神世界は、とても美しい場所です。ハリウッドでも再現不可能です。

クレアボヤンスの障害③錯覚する

＝恐れ＝

「すべてが自分の気のせいか、あるいは何かを見ていると思い込んでいるのでは」と思う人がいるかもしれない。それがエスカレートして「ガーディアンエンジェルのふりをした低級な霊にとりつかれたらどうしよう」という恐れが生まれるかもしれない。

＝真実＝

検証可能な霊体験をするのは、ほとんどが子どもです。これは科学的手法による研究によっても明らかになっている事実です。その理由は、子どもは自分の体験が想像かどうかなどと考えもしないからです。ジャンヌ・ダルクは、「お前は神の声を聞いたと想像していたのではないか？」と尋ねた異端審問官に向かって、「想像力以外に何を媒体として神が語りかけてくるのでしょう？」と答えたと伝えられています。言葉を変えれば、頭の中にだけあるからといって、それが現実でも正しくもなく、正確ではないとは言えないのです。

私は、「天使のふりをする悪魔に騙されるのは怖くないですか」とよく尋ねられます。この質問は、悪魔が舞台衣装の店で天使の衣装を買ってきて天使になりすまし、尖った爪の罠にかけるという想像を前提としています。事実をお話ししましょう。低い世界に属する低いエネルギーは歴然として存在し、私が自宅に招くことなど絶対にありえないものもいます。物質世界にも、進んで付き合おうとは思わない人がいます。しかし、だからといってクレアボヤンス能力全体を遮断してしまうことはないでしょう。

私が言いたいのは、こういうことです。治安が悪い街の一角を歩くのは昼がいいか真夜中がいいかと尋ねられたら、ほとんどの人は昼を選ぶでしょう。なぜでしょうか？　どんな人がどこにいるか一目でわかるから？　もちろんです。精神世界に関しても、まったく同じことが言えます。人間にとって不快なものが存在するのは事実です。ならばどんなものなのかを知って、大天使ミカエルに声をかけ、守ってもらったほうがいいと思いませんか？　大天使ミカエルは、あなたの〝用心棒〟となって家の入り口に立ち、適切な〝身分証明書〟を持たない者は絶対に中に入れません。あなたの家の中に入れるのは、明るく輝く聖なる光を内部に宿す、信頼が置ける人々だけです。

内なる光は、それを宿す存在の誠実さを示すものにほかなりません。物質世界の住人であろうと、精神世界の住人であろうと変わりません。クレアセンシェンス能力によって、特徴を知ることができます。クレアコグニザンス能力によって、信頼に足る相手かどうかを感じ取ることができます。そしてクレアボヤンス能力によって、内なる光の輝きを実際に見ることができるのです。

精神世界に住む、いわゆる〝堕落した存在〟が、輝く光をまねることはできません。低級な存在が、大天使ミカエルの装束を身に付けることはできません。基本的元素に欠けるからです。それは、聖なる愛に満ちた暮らし方をすることで得られる、明るく輝くオーラです。クレアボヤンス能力は、この点において、物質世界・精神世界の差なく、付き合うべき人を選ぶときに役立ち、私たちを危険から守ってくれるのです。

信頼できる人かどうかを感じ取ることもできます。これについても、物質世界・精神世界の差はありません。私たち人間が、心の奥底で本能的に感じ取れることがあります。それは、目の前にいる人が本当の愛情で接してくれているかどうかです。あなたが感じることは、正しいと思ってください。これは、いかなる種類の人間関係にも言えることです。あなた自身の感覚が、あなたを裏切ることはありません。

クレアボヤンスの障害④邪悪さのため罰せられる

＝恐れ＝

クレアボヤンス能力は悪魔の仕業で、神から罰が下るのではないか。

＝真実＝

この恐れは、旧約聖書に記されている魔法使いやミディアム、そして死者と言葉を交わす者たちに対する警告の言葉に発しています。しかし新約聖書には、イエスをはじめとする多くの人々が、精神世界の住人たち、そして天使と語っていたという事実が記されています。聖パウロがコリント人に宛てた手紙には、すべての人間に予言の力が具わっており、愛を込めて使われる限りは、これを熱望すべきであると書かれています。

十分に理に叶った区別ではないでしょうか。『ア・コース・イン・ミラクルズ』第三巻の教師用マニュアルには、霊能力がエゴ（物質世界で唯一の邪悪な存在とされています）の言いなりにも、聖霊の道具にもなると記されています。言葉を変えましょう。私たちは、クレアボヤンス能力を愛にも恐れにも向けられるのです。神のため、そして癒しを行う目的で使うのなら、恐れることは何もありません。他人はさまざまな判断を下しますが、これも長続きはしないでしょう。

クレアボヤンスの障害⑤嘲笑の的となる

＝恐れ＝

〝頭がおかしい〟とか〝気味が悪い〟、〝知ったかぶりにも限りがある〟あるいは〝あまりにも感受性が高すぎる〟と言われ、身内にも批判的な態度を取られるかもしれない。

＝真実＝

こうした恐れは、〝ライトワーカー〟あるいは〝インディゴチャイルド〟にはつきものかもしれません。彼らは、スピリチュアルな立場から、スピリチュアルな方法で世界をよりよい場所にしようと思っている人々です。ライトワーカー（そしてまだ若い世代のインディゴチャイルド）は、自分たちがほかの人々と違う、あるいは自分の居場所が見つからないと感じることが多いようです。精神世界に対する関心やスピリチュアルな意味での贈りものについての偏見は歴然として存在し、からかわれるたびに疎外感が強まるのも事実でしょう。子どもの頃にからかわれた経験がある人は、いまだに癒されない感情的な傷を抱えているかもしれません。天使に声をかけて、癒しへの導きを与えてくれるよう頼みましょう。プロのヒーラーに会ったほうがいいという導きが示されたら、それに従いましょう。

クレアボヤンスの障害⑥今の生き方を顧みる

＝恐れ＝

自分でも決して気に入ってはいないことを見せられ、何の準備もできないまま変化を強いられることが怖い。変えるよりも無視し続け、否定し続けたいことがある。

＝真実＝

クレアボヤンス能力は、機能不全を起こしている人生の側面を改善してくれます。今の自分の姿、生き方をじっくり見つめることで、不満が生まれることもあるでしょう。ただ、今の人間関係や仕事、健康状態、その他の側面の正しい評価が、生き方を180度変えることにはつながりません。また、今すぐに修復を強いられるわけではありません。不満は、前へ進んでいくための強い動機となり、ものごとをより良くするための原動力になりえます。ジョギングを始めたり、健康的な食生活を送ったり、結婚カウンセラーの話を聞いたり‥‥。癒しにはさまざまな方法があるのです。

クレアボヤンスの障害⑦将来がわかってしまう

＝恐れ＝

全地球的規模、あるいは社会的な恐ろしい変化を見せられてしまうかもしれない。

＝真実＝

こうした状況を目の当たりにするとき、エゴが生む幻ではないという絶対的な確信がある場合は、自らが担うライトワーカーとしての役割を認識する瞬間です。地球が変化を避け、あるいは適応するための過程で何ができるのか。自分だけが担う特別な役割について知らされるのです。平和のための祈りを捧げるよう指示されたり、癒しのエネルギーを送るよう頼まれたり、さまざまな場所で聖なる光を灯すよう言われたり、変化に影響を受けた人々を癒すよう言われたり、役割はいろいろです。

与えられる役割が重荷に感じられ、自分には無理だと思ってしまうこともあるでしょう。しかし、すべては肉体を持って物質世界に生まれ出る前にあなた自身が交わした契約に基づいています。そして、神も天使も、大きな仕事を任せられない人間をあえて選ぶようなことはしません。信頼されているからこそ、大変な役割を与えられるのです。そして、仕事はひとりだけでするわけではありません。自ら進んで求め、与えられるものをすべて受け容れる心構えを持ち続ける限り、神と天使が全面的に協力してくれます。

クレアボヤンスの障害⑧責任が大きすぎる

＝恐れ＝

ネガティブな状況を見せられると、「介入すべきだろうか？」と思ってしまう。

＝真実＝

よほど特別な役割を持っていない限り、アースエンジェル（地上の天使）に求められるのは、状況が良くなるよう祈りを捧げることです。もし、誰かに対して警告を発したり、特定の状況への介入が求められたりするときには、きわめて明確な形での指示が与えられます。

クレアボヤンスの障害⑨自分にはできない‥‥

＝恐れ＝

自分は、霊能力もないし、スピリチュアルな癒しをする力もない。ガーディアンエンジェルが付いているかも確信が持てない。付いているとしても、言葉を交わせるかどうか自信がない。

＝真実＝

常に自信に満ちている人などいません。自分の実力がどうしても信じられない状況を意味する〝インポスター・シンドローム〟という心理学用語があります。興味深いのは、競争力も実力も、そして成功の度合いについてもまったく問題ない人々に限って、こうした心理状態に陥りやすいという事実です。今この文章を読んでいる人が霊能力者になりすましていると言っているのではありません。自分の内面（新しい状況に不安を感じる部分）と外面（ほかの人々の目に映る冷静沈着な部分）を比べてしまうことがあるのです。

エゴ、あるいはロウワーセルフは、恐れの感情を巧みに操りながら、私たちの意識を本質から引き離し、人生の目的に対して進んでいくのを邪魔するのです。

クレアボヤンス能力を妨げる前世の記憶

クレアボヤンス能力を妨げている要因が、はるか昔に生まれたものである場合もあります。生まれ変わり現象を信じない人も、歴史的大事件が、現代の世界に対していまだに影響を与えているという事実に異論はありません。まず触れておきたいのは、異端審問です。15世紀を通じ、圧倒的な権力を誇っていた教会の価値観と対極に位置するスピリチュアリティーを信奉したために、多くの人々が財産を没収され、拷問を受け、火あぶりや絞首刑に処せられました。この出来事、そして長い歴史の中で繰り返されたほかの〝魔女狩り〟を通じて生まれた痛みに満ちた思いがいまだに残っているのです。「教会によって認定された教えに従わないのなら、それなりの罰を受けてもらう」というやり方がもたらしたのは、恐れでしかありませんでした。スピリチュアリティーを信奉していても、圧政的な状況の下では、自らの信念を明らかにする人などいるはずがありません。このようなメンタリティーが、霊能力やスピリチュアリティーの信奉を覆い隠します。

それでは、前世の体験がクレアボヤンス能力を妨げている事実をどのように知ったらいいのでしょうか？　次に示した項目が指標となるでしょう。

◎自分は、視覚型の人間ではないと思い込んでいる。ものごとを視覚化してとらえるのが苦手で、夢の内容を覚えていることはほとんどない。人やものの外見にもあまり興味がない。

◎霊的な意味合いで言うビジョンはほとんど体験したことがない。

◎霊能力という言葉を聞くと、なんともいえない不安に包まれる。厄介な問題に巻き込まれたような気になって、誰か、あるいは神によって罰せられるような気持ちになる。

◎火あぶりや絞首刑に処された人々のことを考えると、体中に緊張と寒気が走り、ふるえが止まらなくなり呼吸のペースも変わってしまう。

対照的に、子どもの頃の体験がクレアボヤンス能力を妨げている場合、次のような兆候が現れます。

◎子どもの頃は天使や煌く光、そして亡くなった人々の姿を見たが、大きくなるにつれて霊視能力が消えた。
◎感受性はかなり高いほうだ。
◎子どもの頃〝頭がおかしい〟とか〝悪魔〟とか、〝気味が悪い〟と言われたことがある。
◎自分が霊能力者であることがばれたら、家族がどう感じるか心配だ。
◎霊能力を全開にしてしまうと、愛する人々を落胆させるような変化が起きると思う。

ここで紹介した障害を解き放つのに最も効果的な方法は、きちんとした資格を持つ専門家による逆行催眠、あるいは、私が作った『パストライフリグレッション』（日本語版発売元：JMA・アソシエイツ）という逆行催眠用ＣＤのような専門的な手段です。無意識の部分が、自分ではどうすることもできない記憶が生む恐れの感情で満たされることはありません。逆行催眠によって、自分が自分でなくなってしまうことはないのです。

クレアボヤンス能力の最大の障害

クレアボヤンス能力の最大の障害となるのは、見たいという気持ちがあまりにも強く、懸命になりすぎてしまう態度です。前述したとおり、無理やり何かをしようとすると、必ず妨げられます。いかなる種類であれ、プレッシャーは恐れの感情から生まれます。そしていかなる種類であれ、恐れの感情はエゴに源を発します。エゴには、霊能力的な部分がまったくありません。

心の奥底で恐れを感じるとき、私たちは、何事もついやりすぎてしまいます。やり遂げられないかもしれないという恐れが、無理やりにでも何かを起こしてやろうという気持ちに変わります。ただし、目に見えないところに潜む負のエネルギーは、積み重ねてきた前向きなアファメーションや、顕現のための努力を台無しにしてしまいます。恐れの感情は、負のエネルギーで満ちた祈りになってしまいます。こうした祈りが引き寄せるのは、自己達成的な予言だけでしかありません。

霊的障害を癒す

程度の差こそあれ、誰にでも霊的障害があります。大切なのは、霊的障害を完全に浄化するのではなく、その存在を認めて、実害が出そうになったときにうまく処理することです。霊的障害があるにもかかわらず、自分にも他人にも認めさせまいとする心理が働くことがあります。しかし、霊的障害は恥ずべきものではありません。必要なとき、必要な状況で十分な注意を払っていれば、何の心配もないのです。

〝癒されたヒーラー〟（『ア・コース・イン・ミラクルズ』に出てくる言葉です）というのは、問題がまったくない人ではありません。そんな人が物質世界に存在することはほぼ不可能です。彼らは、自分が抱える問題に気づき、自分が担う聖なる役割の妨げとならないようきちんと対応している人々です。

霊能力の障害となるものは、解決し、解き放つことができます。次に紹介する癒しのテクニック、そして道具が、さまざまな側面でさまざまな効果をもたらしてくれるはずです。癒されるのは、クレアボヤンス能力だけではありません。

霊的障害を癒す①眠りの中で癒される

肉体が眠っている間は、疑念も休眠状態に入ります。スピリチュアルな癒しを行うのには絶好のタイミングです。疑念が眠っている状態では、エゴも天使の奇跡的な癒しを妨げることはできません。クレアボヤンス能力を開く準備ができたら、天使をはじめとする精神世界の住人に、夢の中で訪れてもらうよう頼んでください。次のような祈りの言葉はいかがでしょうか。

大天使ラファエル、今夜、私の夢の中に訪れてください。癒しのエネルギーをサードアイに送り、私のクレアボヤンス能力を妨げている恐れを浄化してください。スピリチュアルな視覚で、ものごとを明らかに見られるようにしてください。

霊的障害を癒す②家族の〝コード〟を切る

たとえば、霊能力に対する母親の意見に恐れを感じている自分に気づいたら、第12章で紹介する〝コード〟を切るテクニックを試してみてください。恐れの感情のコードを断ち切るのに最良の方法であり、クレアボヤンス能力に関してネガティブな思いを抱く可能性がある人なら、誰に対しても（家族以外の人にも）効果が期待できます。また、霊能力についてからかったり、責めたりした人々との間に生まれてしまったコードを断ち切るのにも有効です。

霊的障害を癒す③仲間からの支持

公の場で自分のクレアボヤンス能力を認め、霊能力者であることを〝カムアウト〟する準備を進めていた頃の私は、当然のことながらネガティブな反応を心配していました。私が幸運だったのは、カリフォルニア州ニューポートビーチで開業している内科医・精神分析医と知り合いになれたことでした。この人は、クレアボヤンス能力があることを初めて自ら語っていました。事故で頭に怪我を負ったことでサードアイが開いたそうです。まず気が付いたのは、両親の体内がレントゲン写真のように見えたことでした。チャクラの配置も、体内に閉じ込められた負の感情もはっきりと見えたそうです。ただし、自分に与えられたクレアボヤンス能力をすぐに認める気持ちにはなりませんでした。そんなことを言えば、医師としての評判に傷がつき、免許も剥奪されかねないと思ったそうです。

彼と私はお互いを支え合い、励まし合い、自分の能力を公の場で認めるかについて何回も話し合いました。そうする中で、自分が自分を認め、ありのままでいなければ、クライアントや患者さんを本当の意味で助けることはできないという事実を忘れないようにしていました。

自分だけで思い悩まず、同じ状況に置かれている人を探し出し、協力し合っていくことが大切だと思います。自分と似たような境遇の人と会えるように祈りを捧げれば、会えるように導かれるでしょう。スピリチュアルな集会や書店、または霊能力開発講座、インターネットなどを通じて情報を探してみてください。

霊的障害を癒す④前世逆行催眠およびＣＤ

私はよく講演会を開催しますが、いつも気づくことがあります。来場者の半分ほどの人々が、前世の体験で受けた心の傷から生まれる恐れの感情によって、霊能力を妨げられています。前述したように、前世で溜まってしまった負のエネルギーは、前世逆行催眠によって浄化することができます。しっかりした資格を持つヒプノセラピスト（催眠療法士）なら、逆行催眠は可能です。逆行催眠は、ヒプノセラピストに対する信頼が一番大切です。信頼があれば、恐れを解き放ちやすくなり、無意識の記憶が浮かび上がりやすくなります。一緒にいて心地良さが感じられる人を探しましょう。代替手段として、前出の『パストライフリグレッション』という私のＣＤを紹介しておきます。

霊的障害を癒す⑤アファメーション

私は、数多くの素晴らしいニューエイジ系思想家を知っています。みな聡明で、深い知識を持つ人ばかりですが、「私には視覚でメッセージがもたらされない」と嘆きに近い響きで言うのをよく聞きます。そういうこと自体が否定的なアファメーションになっていることを知らせると、クレアボヤンス能力を妨げているのが自分自身の言葉だった事実に気づいてくれます。そしてその後は、前向きな言葉だけを使って、自らが望むこと、欲しいものを詳しく説明するアファメーションを習慣にしてくれます。

「私の視覚の感度はとても高い」、あるいは「私のクレアボヤンス能力は高い」といった前向きな響きの言葉が並ぶアファメーションによって、たとえ今は事実ではないことでも、そして自分でもまだ信じられなくても、やがて実現させることができるようになるのです。私を信じてください。現実は、必ずアファメーションに追いつきます。

霊的障害を癒す⑥クレアボヤンスの天使に声をかける

数多くいる天使には、それぞれ得意な分野があります。霊能力の開発も例外ではありません。サードアイ・チャクラを司り、見守りながら、スピリチュアルな視覚を育む〝クレアボヤンスの天使〟もいます。頭の中で、次のように語りかけてみてください。

クレアボヤンスの天使、私の言葉を聞き入れてください。私の第三の目を癒しと浄化のエネルギーで包んでください。クレアボヤンス能力を最大限にまで開けるように、力を貸してください。ありがとう。

クレアボヤンスの天使が訪れた瞬間、頭のあたりに物理的刺激が走るのを感じ、周囲（特に両目の間）の空気の密度が変わったように思うかもしれません。

霊的障害を癒す⑦ライフスタイルの改善

自分の体のメインテナンスをいかにていねいにしているかが、クレアボヤンス能力に直結します。肉体を健やかに保っておけば、ビジョンが鮮明になり、細部まではっきりとして、ビジョンから得られる情報も正確になります。体を動かし、十分に休んで、定期的に外に出て過ごしましょう。菜食中心の食生活に切り替え、毒性物質を含む飲食物を避けるようにしましょう。正しいライフスタイルを取り入れれば、聖なるコミュニケーションも研ぎ澄まされます。

ここまで紹介してきた癒しの方法を使えば、クレアボヤンスによって得られるビジョンは飛躍的に明るく、明確な内容になります。

天国からのビジョン

天使体験には、視覚を媒体とするものもあります。寝ているときでも目が覚めているときでも、そして瞑想中に見たものであっても、すべて同じです。

＝本物の天使体験＝

◎鮮やかな色とはっきりした感情を伴う、天使に会う夢
◎煌き、輝く光。あるいは色鮮やかな霞《かすみ》
◎ごく自然な感情と共に、脳裏に刷り込まれるビジョン
◎羽根が落ちていたり、コインや鳥、蝶、虹などを繰り返し見たり、あるいは特徴のある数字の列を何度も見る
◎自分が誰かを助けている場面のイメージ

＝想像、あるいは偽の導き＝

◎しばらくすれば忘れてしまう、ごく普通の夢
◎解決策が示されないまま、最悪の状況を見せられる
◎ビジョンを与えられることに夢中になりすぎてしまっている気がするとき
◎しるしを探し続ける中、連続性のないものしか見つからない。あるいは無理やり意味を見出そうとしている状態
◎エゴにより、他者を利用して自分だけが利益を得る状態

MEMO

第7章

クレアセンシェンス

ほとんどの人の天使体験は感情、あるいは物理的な感覚を媒体としたものと言えます。天使がすぐそばにいるときには、その存在を文字通り〝感じる〟ことができるのです。私自身がインタビューを行った多くの人々は、特定の魂がそばにいるとき、その存在を感じ取った事実を語ってくれました。次のような言葉をよく耳にします。

「この前の夜、亡くなった母がすぐそばにいるのを感じました。とてもリアルな感覚でしたが、気のせいだったのか、今でもわかりません」

自分の直感、そして自分自身を信じられないという傾向は、多くの人に見られます。「この人とは付き合わないほうがいい」「この仕事には就かないほうがいい」あるいは「この道は使わないほうがいい」、こうした直感を得たことが何回ありますか？　その後思い直し、しないほうがいいと思ったことを結局はしてしまい、後悔したことは何回ありますか？

内なる導きに耳を傾けたとしても、そうしなかったとしても、後悔はハイヤーセルフに従うことの大切さを教えてくれる貴重なきっかけとなります。そしてこの過程は、天使とのコミュニケーションの一部にほかなりません。自分の感覚が神から与えられた正しく機能する検知器である事実、そして、生まれたときから具わっていたという事実を信じなければなりません。

スピリチュアルな存在をすぐそばに感じる

感覚を媒体として天使とつながる方法を紹介します。

◎近くに木も草もないのに、ほのかに花の香りがする
◎体に触れられたり、髪を撫でられたり、優しく押されたり、守られたり、体を包まれた気がする
◎自分の周囲の空気圧が変わる。頭のあたりが締めつけられる。額に脈動が感じられる。霊的な何かが頭の中を通る。水の中に引き込まれるときの感覚がある。

たとえばそのとき、次のような兆候もあるかもしれません。

◎温度の変化
◎突如として湧き上がる喜び
◎非現実的な体験をすることになるという直感（たとえ誰にも教えないとしても）

本物の天使体験は暖かく、安全で愛情に満ち、心地良いものです。その反面、偽の天使体験は不快で体が冷たくなり、恐れの感情が生まれます。
自分の感覚の〝試運転〟をしてみるのもいいでしょう。直感と、それに対する自分の反応を確かめるのです。たとえば、あなたが新しい街に引っ越したくて仕方がないとし

ましょう。しかしあなたは悩みます。自分から起こす変化で、家族や友人、そして仕事にどんな影響が出るか。すべての要因を明らかにすることができなくても、〝試着〟のような感覚で事に当たれば、聖なる導きについてより良く理解できると思います。

今のままの生活を送る自分の姿を思い浮かべながら、自分の中で生まれる感覚に意識を集中させてください。心を満たすのは、安心ですか？　悲しさですか？　あるいは喜びでしょうか？　それ以外の感情もあるでしょう。体の一部が緊張で硬くなったり、あるいはリラックスして緩んだりしますか？

次に、引っ越した自分の姿を思い浮かべ、同じように意識を集中させてください。どんな感覚が生まれますか？　体に物理的な刺激はありますか？　あなたの感覚や感情は、魂や聖なる意思が望むものを示す精度の高い計器であり、神の意思と共にあります。

クレアセンシェンス能力を伸ばす

感情、そして精神的・肉体的感覚がそれほど強くないと思う人は、次の方法によって天界とのコミュニケーション方法を開発してください。感情や肉体的感覚が鋭くなると、人生がより豊かになり、人間関係に深みが増します。それと共に、以前よりも思いやりと聖なる愛を強く感じ、ほかの人々がより良く理解できるようになり、バランスが取れた状態になって、直感を認識し、それに従いやすくなります。次のような方法で、クレアセンシェンス能力を伸ばしてください。

＜水晶のそばで寝る＞

先端が尖った水晶（円柱形のもの）を買い求めてください。ヒーリングショップや、天然石の見本市で比較的安く手に入れることができます。少なくとも４時間は太陽光に当てて、それまでに吸ってしまったものを浄化してください。その後、ナイトスタンドやベッドの下に置いて使います。ナイトスタンドに置く場合には横に倒し、先端があなたの頭に向くようにしてください。ベッドの下に置く場合は、先端を上にして、頭か心臓を指すようにしてください。

感覚が鋭くなってきたら置き方を変え、先端が自分を向かないようにします。ベッドから遠ざけることも考えましょう。クレアセンシェンス能力が高い人は、水晶がそばにあるだけで不眠症になってしまうこともあります。

＜ピンクローズの香り、バラのエッセンスを使う＞

ピンクローズの香りには、クレアセンシェンス能力を司るエネルギーポイントである心臓のチャクラを開く作用があります。ピンクローズを身近に置いて、いつでも香りを楽しめるようにしておきましょう。本物のバラから作った高品質のエッセンシャルオイルを使ってもかまいません。

心臓の上にオイルを塗り、ほんの少しだけ鼻の周りに湿らせて、香りを楽しみましょう。

＜ローズクォーツのネックレスを身に着ける＞

ピンクローズが心臓のチャクラを開くように、ローズクォーツも同じ働きをします。このピンク色の美しい石は、心臓のチャクラと調和する資質を有しています。クレアセンシェンス能力を活性化させることに加え、ロマンティックな祝福を受け容れる準備を整えてくれるでしょう。

＜物理的触感への感覚を高めるトレーニング＞

何か両手で触れるものを用意します。両目を閉じ、机の上でそれにゆっくり触れながら、細かい部分にまで意識を向けます。素材の触感も確かめましょう。手の甲で撫でてみたり、腕の部分まで使ったりしながら、そのつど変わる感触の違いを記憶に刻みましょう。友人に協力してもらい、次のような実験もしてみましょう。目隠しをして、何かを渡してもらいます。触感だけを頼りに、それが何であるか当ててみてください。食べ物でも試してみましょう。物理的に体に伝わってくる感触や感覚、体の中で生まれる感情に意識を集中させ、何を触っているのか、あるいは何を食べているのか当ててみてください。

＜常に軽い食事を心がけ、エクササイズで体を整える＞

疲れていたり、体が重く、動きが鈍かったり感じられるときには、感覚の微妙な差異を感じ取るのは困難です。ジョギングや早足の散歩、ヨガ、あるいは心拍数を上げる運動によって、クレアセンシェンスを媒体としたメッセージに込められたものの意味を明確に知ることができるようになります。体を動かすのと同じように、健康な食品を選び、食べ過ぎないように心がけましょう。自分の体の重みで動きにくくなるのを防ぐことができます。重いという感覚、あるいは食べ物で満腹になった状態が、聖なる導きに気づくことを妨げてしまうことがあります。肉体的により良く感じられるものすべて―メッセージや昼寝、そしてバブルバスも―が、直感に反応する力を育みます。

自分の身を守る

クレアセンシェンス能力に秀でた人々は、あまりの敏感さを嘆くことがあるようです。「他人の問題が発する毒気の強いエネルギーを吸収してしまう」とか、「ほかの人の感情が一気に押し寄せてきて、どうしようもなくなってしまう」という状態が一番多いようです。

皮肉にも、彼らは他者との接触が多い職業を選んでしまう傾向が高いようです。マッサージやエネルギーヒーリング、医療、そしてカウンセリングなど、感覚に優れた人々にとってはぴったりの仕事なのですが、長く続けていく中で、クライアントが抱く負の感情から悪影響を受けないよう工夫をする必要があります。

こうした問題の対処法は、予防と浄化のふたつがあります。予防は、他者が発する毒気を含むエネルギーから身を守る方法です。そして浄化は、すでに吸収してしまった負のエネルギーを体の外に解き放つための方法です。自分が抱く恐れの思いから生まれる負のエネルギーも含まれます。

シールディング＝バリアを張る

負のエネルギーへの対処法には、少し避妊に似ているところがあります。常に100％の効果が期待できるわけではありませんが、危険性をかなり低めることができます。シールディングの方法は数多く存在しますが、ここでは私自身が特に気に入っている２つの方法を紹介しておきましょう。

シールディング法①音楽

天使が語るには、音楽は霊的な幕として機能し、守護的エネルギーで私たち人間を包み込んでくれます。ストレスがかかる状況では、常に音楽をかけておくのがいいでしょう。

音楽は、防御策であるだけではありません。浄化の方法ともなります。大天使サンダルフォンは、音楽の天使として知られており、大天使ミカエルと共に、負のエネルギーを浄化してくれます。それぞれの状況に応じた音楽を選んでもらうよう、サンダルフォンに頼むのもいいでしょう。音楽をかけて瞑想しながら、サンダルフォンに声をかけ、あなたを守り清めてくれるよう頼みましょう。

シールディング法②ピンクの光

この方法は、ある夜ジムにいたときに天使が教えてくれたものです。ウェイトトレーニングのコーナーに行こうとしていると、それまで見たことがない女性がいました。目があったのであいさつを交わすと、彼女はまるで私を昔から知っていたかのように、自分が受けた多くの手術について詳しく話し始めました。言いたいことがあふれそうになっていて、静かに聴いてくれる相手が欲しかったのでしょう。ただし私は、病気についてとめどなく流れ出る彼女の言葉が、毒気を含んだエネルギーを発していることも感じていました。

そこで私は、頭の中で天使に救いを求めました。すると、「体全体をピンク色の光で包みなさい」という答えがすぐに返ってきました。私は、筒のような形で射し込むピンク色の光に自分の体が包まれているところをイメージしました。ちょうど、口紅の容器の中に体ごと入ったような感じです。ピンク色の光は、頭のはるか上、そして足のはるか先まで射し込んでいます。

「あなたは、白い光で包まれることがありませんね」

と天使の声が語りかけてきました。

「白い光だと、自分と他者の絆を断ち切るような気がするからでしょう。あなたが今の人生で果たすべき役割は、多くの人々と交わることであり、自分を他者と切り離すことではありません（それは、ごく最近の前世でしたことです）。白い光で身を守ることをやめたのですね」

天使の言葉は真実でした。私は、光で身を守る方法についてかなり詳しく知っていますが、クライアントと同じ空間を共有したいので、実際に使うことはほとんどありません。以前、大きなデスクの向こう側からしか診察しない精神科医と一緒に仕事をしたことがありました。今思えば、患者さんと感情面で親しくなりすぎることを避けるため、机をバリアにしていたのでしょう。同時に、精神科医としての立場を保つための権威の象徴でもありました。私は、カウンセリングを行うときに白い光を使いたくはありませんでした。白い光によって、クライアントから離れるような気がしたからです。

天使は、言葉を続けました。

「でも、あなたがいま包まれているピンクの光は、白い光とまったくちがいます。まずは、ちがいを感じ取ってください。あなたの目の前にいる女性に向けて、密度の高い聖なる愛のエネルギーを送っていることを感じてください。そして同時に、あなたに向けて天界の強いエネルギーが注がれていることも感じてください。このピンクの光を通り抜けられるのは、聖なる愛から生まれたエネルギーだけです。ピンクの光に包まれていれば、意識のすべてをこの女性に向けながら、彼女が発する負のエネルギーの影響を受けることもないのです」

その日以来、私はピンク色の光を進んで使うようになりました。もちろん効果は絶大です。ほかの人々にも伝えましたが、やはり役に立っているようです。天使たち、どうもありがとう！

浄　化

私たちはときとして、わけもなく疲れたり、いらいらしたり、落ち込んだりすることがあります。往々にして、原因はネガティブな思考でいっぱいになった人との接触です。人を助ける仕事に就いている場合、毒に満ちた感情にさらされることも多いでしょう。だからこそ、定期的な浄化が必要となります。

エーテルコードとバキューミング（第12章で詳しく触れていきます）によっても浄化は可能ですが、霊的堆積物を取り除く最も簡単な方法は、やはり母なる自然の助けを借りることです。植物が二酸化炭素を新鮮な酸素に変えるように、低いエネルギーも変換されます。緑の木々は、体に溜まった有害なエネルギーを除去するのに大いに役立ってくれるのです。

天使は、ベッドのすぐそばに植物を置いておくことを強く勧めます。鉢植えを一つ置いておくだけで、眠っている間に驚くほどの効果が得られます。一日中吸収してしまった重いエネルギーを吸収し、天界へ送ります。心配しないでください。植物が傷つくことはありません。

多くの人々と接触する種類の仕事に就いている人、特にマッサージセラピストやカウンセラー（クライアントが解き放つ負のエネルギーを最も受けやすい職業です）は、職場に植物を置いてください。たったそれだけで、一日が終わったときの疲れ方がまったくちがうはずです。天使によれば、広葉植物が一番向いているようです。広い葉によって、より多くのエネルギーが吸収されるからです。ポトスやフィロデンドロンがぴったりでしょう。棘状の葉や、尖った葉の植物で自分を囲むことは避けてください。中国に伝わる風水でも、尖った葉の植物は避けることとされています。剣を思わせる形の葉がポジティブなエネルギーをもたらしてはくれないでしょう。

自分の感情を知る

練習を積めば、自分の感情や感覚に対して鋭敏でいられるようになり、感情や感覚を媒体として伝えられる英知にも気づきやすくなります。

＝本物の天使体験＝

◎愛情を込めて抱きしめられたときの暖かさ
◎警告や危険についての知らせであっても、安心を感じる

ことができる

◎どこからともなく漂ってくる花の香りが感じられる

◎つい今しがたまで誰かが座っていたように、ベッドやソファーがへこんでいる

◎空気圧や空気の温度の変化が感じられる

◎誰かに頭や髪、あるいは肩を触れられたような気がする

◎体験の後、ものすごく眠くなる。あるいはその逆で、気分が高揚する

◎〝現実である〟という揺るがない信念が生まれる

◎生き方を変えよう、あるいは新しいことに挑戦しようという気持ちが繰り返し生まれる

◎不思議な体験なのにごく自然に受け容れることができる

＝想像、あるいは偽の導き＝

◎体が冷たく感じ、ひりひりするような感覚がある

◎恐れの感情とパニックが生まれる

◎何の香りも漂ってこない。あるいは不快な臭気を感じる

◎誰かが、性的な意味合いで気を惹いているように感じる

◎部屋の中がものすごく寒くなる

◎強い孤独感に襲われる

◎体験の余韻がまったくない

◎体験のリアリティーがまったくない

◎聖なる導きではなく、焦りと必死な気持ちから変化を起こそうとする

◎体験の内容を理解できず、親近感もない

◎体験や導きを無理に起こそうとしているように感じる

自らの思いと考えに宿る力を利用すれば、聖なる導きを得るための方法論も増えます。次の章では、天界の思考を意味するクレアコグニザンス能力について見ていくことにしましょう。

第8章

クレアコグニザンス

天使
大天使
ミディアムシップ
天使との対話
4つの"クレア"
クレアボヤンス
クレアセンシェンス
クレアコグニザンス
クレアオーディエンス

ほんの少しの知識なのに、確信が持てることがあります。ただし、どうやって知ったのかは自分でもわかりません。こうした知識を、〝クレアコグニザンス〟(〝はっきりと知る〟という意味）と呼びます。こんな体験をしたことはありませんか？　何かについて誰かと言い合いになり、自分ではほとんど知らないにもかかわらず、具体的な証拠もないまま、あなたは自分の言葉に絶対の自信があります。口論している相手は、あなたに向かって「でも、どうやってわかった？」と尋ねます。あなたはとしては、「知っているから知っている、としか言いようがない」と答えるしかありません。

そんなあなたは、〝知ったかぶり〟と呼ばれたことがあるかもしれません。そしてこの形容には、いくばくかの真実が含まれています。確かにあなたは、多くのことを知っています。ただし、どうやってそんな知識を蓄えたのか、自分でも方法が解らないし、思い出せません。

偉大な発明家や科学者、作家、未来学者、そして指導者たちは、クレアコグニザンス能力を媒体に集合的無意識とつながり、斬新なアイデアやインスピレーションを得ました。トーマス・エジソンは「すべての進歩、すべての成功は、考えることから生まれる」と語りました。エジソンをはじめとする偉大な発明家は、ひらめきやインスピレーションが訪れるまで、静かに瞑想していたと言われています。

情報を受け取るだけの人と、受け取った情報から利益を得る人のちがいは、目の前で起きていることを有益で特別のものとして受け容れる能力です。自分に向けて流れてくる情報を、誰にとっても当たり前のことであると決め付けてしまうクレアコグニザントは数多いのです。クレアコグニザンス能力が高い人々は、自分に向かって「こんなことはみんな知っているにちがいない」と言います。それから２年ぐらい経って、自分が受けたアイデアを誰かが実現し、商品となっているのを目の当たりにします。思考やアイデア、あるいは啓示という形で聖なる導きを得る人々にとって大切なのは、自分の祈りに対する答えとしてもたらされる情報であることを感じ取り、受け取ることでしょう。

あなたが今の職場を辞め、独立して仕事を始めたいと思って、聖なる導きをもたらしてくれるよう祈り続けていたとしましょう。あるとき、多くの人々を助けられるような仕事のアイデアがもたらされます。そしてその瞬間を境に、このアイデアが繰り返し脳裏に浮かぶようになります（他者を助けるというのも、繰り返し浮かぶというのも、聖なる導きの特徴にほかなりません）。しかしあなたは、こう思ってしまいます。自営という業態には誰もが憧れるし、実現できない希望的観測にちがいない‥‥。

私の体験から言えば、クレアコグニザンス能力に長けた人々は、コンピューターの前やオフィスの中で過ごすよりも、自然と新鮮な空気に触れる時間を多くしたほうがいいでしょう。考えることを重視する人々のライフスタイルは、仕事が中心になります。それゆえ、フィットネスや遊び心、家族の問題、スピリチュアリティー、そして人間関係でバランスを取っていくことが必要となります。ここで挙げた事柄に、今までよりもほんの少しだけ長く意識を向けてみてください。それだけで、神の意思から発した考えをより明確に感じ取ることができます。

判断と識別

〝考えること〟を媒体とする天使とのコミュニケーションを好む人のIQ値は、大多数の人々よりも高いかもしれません。文章を読むのが大好きで、興味の幅が広いことが、標準以上のIQ値をもたらすのでしょう。

知的覚醒を開発するための鍵となる要因は、識別能力を働かせているときと、判断に頼っているときをはっきりと区別することです。識別と判断というふたつの知的行動の間には、スピリチュアルな意味合いでの結果を決定づける大きなちがいがあります。

喫煙を例に挙げて話を進めましょう。喫煙と病気、そして健康上のリスクのつながりを示す多くの研究があることはご存知でしょう。識別は「タバコにも、タバコを吸う人にも興味はない。タバコの匂いにも効果にも関心はない」と言う声をあげます。一方、判断は「喫煙は悪だ。タバコを吸う人も悪い」と言います。ちがいがわかるでしょうか？

ひとつは、分類や批判とは関係なく、個人的な好みを尊重しながら働く引力の法則を基にしています。

同じように、脳裏に浮かんだ考えが聖なる導きであるか自信がないときには、体内に具わっている識別のメカニズムに意識を向けてください。〝疑わしいことはしない〟ということです。あなたの体内のコンピューターは、まちがっていることを検知します。すべてを拒否する必要はないかもしれませんが、考え直したり、見直したりすることが必要な部分があるかもしれません。

自分が知らないことについては、専門知識を持つ人の協力が必要になるでしょう。神と天使に、あなたの目的に最適な専門家と出会えるよう頼んでください。こうした人と会える機会は想像以上に早く訪れるはずです。

以前、菜食主義について本を書こうと思っていたとき、私はこのような現象を体験しました。本を書くためには、共著者が必要なことはわかっていました。しかも、きちんとした資格を持つ栄養士でなければなりません。さらには、スピリチュアリティーを理解し、菜食主義にも詳しい人物である必要がありました。私は、神に全幅の信頼を寄せ、すべての条件を満たす人物と会わせてくれるよう頼みました。そして３週間後、とあるワークショップの会場で、ベッキー・プレリッツという栄養士の女性と知り合いました。彼女のほうから自己紹介してくれたのです。スピリチュアリティーに深い興味を抱き、スピリチュアルなライフスタイルを実践しているということでした。「探し求めていたのは彼女だ！」と私は思いました。ベッキーと話をするうち、彼女が祈りに対する答えであることへの確信が深まっていきました。そして、彼女（そして夫のクリスも）とは今でも友達づき合いをしています。彼女と共著の『Eating in the Light: Making the Switch to Vegetarianism on Your Spiritual Path』（『光の中の食生活：スピリチュアリティーでベジタリアンに』）は、ヘイハウス社から2001年に出版されました。

クレアコグニザンス能力がもたらす現象

次に、思考を媒体とした聖なるコミュニケーションの方法について記します。

◎初対面の人の詳細が、突然手に取るようにわかった
◎何か（仕事、旅行、人間関係など）が起こる様子、内容が前もってわかり、それが正しかった
◎長い間持ち続けていたアイデアがあり、それを実行に移したらこの上なくうまくいった。あるいは、そのアイデアを無視したら、ほかの誰かがまったく同じことをして大成功を収めた
◎通帳や鍵、財布をなくしてしまい、天使に頼んだとたんにありかがわかった

聖なるクレアコグニザンスは繰り返し起こり、その内容は必ずポジティブです。あなた、そしてほかの人々の人生をより良くする方法について知らせてくれます。クレアコ

グニザンスを媒体にしたメッセージは奉仕を基にしたもので、特定のアイデアによって結果的に富と名声がもたらされることがあるかもしれません。ただしこれは、あくまでも二義的な意味の利益にすぎず、クレアコグニザンス全体の概念の背景にある動機ではありません。実際、利他的な考え方があってこそ、発明者が利益を得ることができるのです。利己的な企てばかり追求する者に惹かれる人はいません。こうした人間の考えの背景にあるものは、見透かされてしまうでしょう。

私の本を出版してくれる会社の社長であり、良き師でもあるルイーズ・L・ヘイが語ってくれたことを思い出します。資金面で落ち着いたのは、何を得られるかではなく、どのように奉仕できるかを考え始めた頃からだったそうです。この原則を自分の人生にも当てはめた後、驚くほどの癒しの効果がさまざまな側面で現れました。幸せで、仕事もこれ以上ないほどうまくいき、収入も上がりました。

本物のクレアコグニザンス能力は、本当の意味でほかの人々を助けることに役立ってくれます。顧客やスポンサー、観客、出版社などとの良好な関係も築けるでしょう。こうした力は、人の本当の才能と情熱、興味を知る創造主から発せられるもので、さまざまな特質がどのような形で活かされ、ほかの人々を助けることにつながるか、方向付けも行われます。聖書の時代では、〝才能〟がお金に等しいものとされていたので、才能とお金を交換することも可能でした。

本物のクレアコグニザンス能力は、目の前で夢を見せつけておいて、その実現法を自分で見つけさせるようなことはありません。実現までの具体的な過程を詳細に示してくれます。しかし、神が教えてくれることは一度に一つだけという事実を覚えておかなければならなりません。神の教えは、繰り返し浮かぶ思い（あるいは感覚、ビジョン、言葉など、その人に則した形）で示され、何かをするよう仕向けられます。この〝何か〟は、特別に大切なこととは思えないはずです。あの人に電話をかける。手紙を書く。あのミーティングに出る。あの本を読む。そんなことばかりです。与えられた導きに従って、最初のステップを終えたら、また同じ思いが繰り返し浮かんできます。これが次のステップですべきことです。神はステップごとに教えを示し、私たちが思い描くものの実現へと導いてくれます。

私たち人間には、自由意志があります。よって、いかに神からの導きであっても、意図的に無視することもできます。ただ、聖なる導きによって示された教え、あるいはステップを全うしないままでいると、行き詰った感覚に襲われることが多いようです。ちょうど、ぬかるみにはまったタイヤが無駄に回転するような状態に陥ってしまうのです。私は、このように感じている人々に対し、いつもこう尋ねることにしています。

「聖なる導きを受けていたと思いますが、繰り返し感じ取りながら無視してしまったことは何ですか？」

そしていつも気づくのは、こうした見識（変化を恐れる気持ちから、避けてしまうことが多いのです）こそ、追い求められていたものだったという事実です。

天使は、導きを求める祈りに反応してアイデアを与えてくれます。夢を見ているときや瞑想の最中、体を動かしているとき、あるいはテレビや映画を見ているとき（精神が自動走行状態に入っているとき）など、精神がものごとを受け容れやすい状態では、メッセージを素直に受けることができます。聖なる導きによってもたらされる見識は、興奮と活力を生み出します。悲観的な考えで押さえつけてはいけません。浮かぶ思いが正しいことは、魂の奥底で、自分が一番良くわかっているはずです。どんなことでも、失敗する可能性はあります。ただし、成功する可能性も同じくらいあるのです。自分自身の考えを試してみる、それが日々の暮らしに意味を生むのです。

ひらめきに従って行動し、それが不幸にも失敗に終わって、ネガティブな体験として残ってしまうこともあるでしょう。こうした人は、弱気になっても仕方ありません。大きな変化というリスクを冒さずに、安全な生き方を選ぶ人もいるでしょう。現状に満足しているのなら、何の問題もありません。ただ、ほんの少しでもバランスが崩れている部分があるなら、その部分を癒したいと思うのが当たり前でしょう。そして、そう思うのはあなただけではありません。神も天使も同じ思いを抱くのです。こうした状態を〝恒常性〟を得るといいます。生きるものすべてに共通する、不均衡な部分を直そうという本能的欲求です。

懐疑主義、実用主義と信念

信念を軸にする場合、クレアコグニザンス能力は、ほかのタイプの聖なる導きよりも、迷いに似たものを生みやすい傾向があります。ものごとを深く考えるタイプの人は、疑念でいっぱいになりがちです。信念は非論理的なものを基盤としており、手で触れて確かめることができない要因の上に成り立っているように感じられてしまいます。

しかし、優れた科学者は結論を出す前に必ず実験を行います。天使が存在することを仮定しても、しなくても、じっくり時間をかけて自分の考えを確かめましょう。たとえば、あなたの思いは神と天使の耳に届くので（判断することはありません)、周囲の人に気づかれないまま天界とつながることができます。

頭の中で天使に話しかけ、良くしたい部分に手を貸してくれるよう頼んでみてください。私生活でも仕事上のことでもかまいません。そして救いの手がもたらされるのを待ちます。強い衝動や考えという形ですぐに反応してくれることも、あるいは、あなたが探し求めていた特定の情報についての記事を、誰かが〝たまたま〟渡してくれるなど、より直接的な形で答えがもたらされることもあります。自分の考えを試す実験には、2つの大きな要因があります。

①導きを求める（あなたが自ら頼まなければ、自由意志の

法則によって、天界が介入することはできません）
②与えられる救いに気づく

天界が後押ししてくれている事実に気づくことは、手当たり次第に手がかりを拾おうとする姿勢とはまったく異なります。葛藤と不安は、偽の導きしか生み出しません。本当の聖なるインスピレーションは、愛の翼に乗って、たやすく届けられます。

天界から届く情報を信じ、それに従うことを学んでいくにつれ、自分の中にある導きの体系から恩恵を受けることが多くなるでしょう。それは、新しい仕事へのヒントかもしれません。失敗しようがない内容で、なぜそれに自分が気づかなかったのか理由がわかりません。ヒントを得たあなたは、その実現へ向け動き出します。すると、すべてがうまく流れることに驚かされます。資金繰り、仕事場、パートナー探しなどが、これ以上なく順調に進みます。仕事は短期間で成功を収め、あなたは本物の聖なる英知に導かれた事実を確信します。

クレアコグニザンス能力を伸ばす

クレアコグニザンス能力は、思いやアイデアという目立たない形でもたらされるので、見逃しやすいかもしれません。コミュニケーション法としての４つの〝クレア〟の中でも、レベルが高いと言えるかもしれません。祈りを捧げ、その答えとしてもたらされる聖なるインスピレーションを見逃してしまうこともあるでしょう。天界から与えられたアイデアではなく、たわいのない考え、あるいは白日夢として片付けてしまう可能性もあります。

クレアコグニザンス能力が高い人々には、もうひとつ特徴があります。思い浮かぶアイデアを〝誰もが知っているにちがいない〟と決め付けてしまう傾向です。だからこそ、せっかく素晴らしいアイデアを受けても、それを実行に移そうとしません。多くの人から〝知ったかぶり〟扱いされていることもわかっているので、からかわれることを恐れ、言いたいことも呑み込んでしまいます。このレッテルは、事実無根ではありません。クレアコグニザンス能力が高い人々は集合的無意識とつながりやすいので、実際に多くを知っているのです。

自分の中で生まれる思い、心に届けられる言葉に意識を向けるのは大切なことなのです。繰り返し訪れる思いも、斬新なアイデアも同じです。聖なる導きは、あなたが理解するまで繰り返されることも、電球の光のようなひらめきでもたらされることもあります。思いを媒体にして届けられる導きに気づくための最良の方法は、日記をつけることです。日々浮かぶ思いやアイデアを文字に残すことによって、自分と対話しましょう。自分のハイヤーセルフとの質疑応答という形もいいでしょう。こういう方法で、意識下にもたらされる情報を、自分で認識できるレベルまで引き上げることができます。

反応が感じられたら、自分を疑ってはいけません。浮かんでくる思いやアイデアをありのままの形で受け容れましょう。そして、「伝えたいことは何ですか？」と尋ねてみましょう。「この間知り合った人は、どうも尊敬できない」といった直感が答えとしてもたらされるかもしれません。また、スピリチュアリティーの原則に関する理解を深めるためのヒント、あるいは逃すことができない新しいビジネスのひらめきかもしれません。

日記をつけていれば、思いやアイデアが浮かんでくるパターンや正確性を見極め、本当の聖なるインスピレーションを知ることができるようになります。ふと浮かんだ思いを無視し、後になって「こうなると思っていたんだ」とか「行かない方がいいのはわかっていたのに‥‥」と言ったことはありませんか？　成功も失敗も、自分の識見を信頼し、従うことの大切さを教えてくれます。

考えることへの志向性が高い人々は（感覚や視覚、あるいは聴覚志向の人々と比べると）、仕事中毒になりやすい傾向が見られます。オフィスでじっとしたままの状態で、何時間もコンピューターのモニターを見続けます。とはいえ、屋外での活動とのバランスが取れている限り、何の問題もありませんが、私自身はクレアコグニザンス能力の高い人々に可能な限り自然の中で過ごすよう勧めています。オフィスは、本当の安らぎが得られる場所といえない空間です。一度屋外に出れば、新鮮な空気や植物によって霊的感覚が研ぎ澄まされるのが感じられるでしょう。その結果、

天使
大天使
ミディアムシップ
天使との対話
4つの"クレア"
クレアボヤンス
クレアセンシェンス
クレアコグニザンス
クレアオーディエンス

聖なるインスピレーションに対してさらに敏感になることができるのです。

自然の穏やかさの中では、思いもより良く響くようになり、賢明なアイデアに気づきやすくなります。気分転換に部屋を掃除するように、ときには時計と電話から解放される時間を作るべきです。自然界だけではなく、自分の肉体が宿す独特のリズムとも協調できるようになります。自然の中で過ごす時間を定期的に持つようにすると、これはという瞬間を逃すことがなくなります。すべての人間が気づき、従うべきなのは、まさにこうした瞬間です。その積み重ねによって、人生のリズムに乗った毎日が過ごせるようになるでしょう。オフィスに戻るときには、最高のタイミングで電話をかけたり、会議で発言したりするための感覚が養われています。屋外で過ごす時間は、それまでとはまったく違う自分を見つけるきっかけとなるかもしれません。今までのオフィスから完全に離れ、心が告げるまま、憧れだった職業へ向かって進んでいく人もいるでしょう。

クレアコグニザンス能力を信じる

自分の直感を信じられないという人がいます。前世で直感に従ったため、火あぶりに処された記憶が残っていることもあります。また、素晴らしいアイデアを思いついてそれを実行に移したのに、何ひとつ思い通りに行かず、苦い思い出となった人もいるでしょう。同じことは繰り返したくないという気持ちもわかります。次に示した例を見てください。

①着想は聖なるインスピレーションによるものだったが、その後の過程で恐れの感情にとらわれてしまった

いかなるアイデアも、授かった瞬間は聖なる導きに基づくものであり、愛から生まれたものです。しかし、いつとはなしに恐れの感情が訪れます。恐れの感情が、次々と送られてくる導きやアイデアの流れを妨げ、最初の一歩を踏み出した道から逸れてしまうことになります。やがて、すべての決断や行いがエゴに支配されてしまいます。一度エゴとつながってしまうと、それ以降もたらされるのは不幸と過ちばかりになります。

例を挙げて話を進めましょう。バーニスという私の知り合いの女性が、自宅でパーソナル・トレーナーの仕事を始めようと思い立ちました。自分が大好きな分野で人助けをでき、幼い子どもの面倒を見ながら自宅でできる仕事です。まさに理想的でした。バーニスはそれまでの仕事を辞め、アイデアを実現しました。最初の１ヶ月で顧客が５人集まり、生活費すべてを支払っても少しだけ残るほどの収入を得ることができました。

しかしバーニスは、最初の成功がそのまま続くのか心配になっていました。新しく顧客になってくれる人はいるかしら？　彼女は思い悩みました。時間をかけて考えた末に、何種類かの新聞に広告を出すことにしまし

た。カラー印刷のパンフレットと、名刺やプロモーショングッズも作りました。かなりの経費がかかりましたが、〝お金を稼ぐためにお金を使う〟ことにしたのです。

翌月、新しく獲得した顧客は一人だけでした。ますます焦ってしまったバーニスは、さらにお金を使って広告を出しました。ただし、どんな努力も無駄に思えて仕方がありません。そして、独立してわずか4ヶ月後、安定した収入を得るため、バーニスは元の職場に戻りました。

一体どうしたのだろう？　彼女は不思議でした。バーニスが置かれていた状況を振り返ってみましょう。自宅で新しい仕事を始めようと思ったとき、彼女が聖なる導きを受けたことはまちがいありません。このときの気持ちは、最初の1ヶ月の成功で強まりました。生活費をすべて支払っても余りが出る収入もありました。ところが、そのときすでに恐れを感じ始めてしまいました。恐れの気持ちが焦りとなり、無理やり何かを起こそうという態度が顕著になりました。的外れな広告や、不必要な経費で効果が得られるわけがありません。経費が増える一方で売上げが下がったのは、自信を与え、正しい導きをもたらしてくれるハイヤーセルフではなく、エゴがあげる声ばかり耳に入れていたからです。

②聖なる導きを認める代わりに、何かを力ずくで起こそうとして、自分の中の師の声ではなく、他人の意見に従う。

人間には、聞きたいことだけしか聞かないという傾向があります。心の声（最高の友人にほかなりません）が

「違う！」と叫びをあげていても、「この人が言うことは正しい」と信じてしまうことがあります。あるいは、直感が徐々に新しい仕事を見つける気持ちを作るよう知らせているにもかかわらず、〝神のお告げ〟が今の仕事を辞めるよう仕向けていると思い込み、遠い街に引っ越ししてしまうこともあるでしょう。このように、意志の強い人に押し切られ、直感を裏切る形で、より良い判断と正反対の行動を起こしてしまいます。

本物の導きと偽の導き

それでは、何が神のインスピレーションから生まれた導きであり、何が骨折り損なのか。思いやアイデア、啓示の特徴を次に示します。

＜一貫性＞

本物の導きは繰り返しもたらされ、いくら時間が経っても消えることはありません。細部や感じ方がちがうことはありますが、中核となる観念は常に同じです。偽の導きは、常に内容や方法論が変わります。

＜動機＞

本物の導きは、現状をより良くしようという願望を動機としています。偽の導きの狙いは、富と名声を得ることです。本物の導きによって富と名声が得られることもありますが、あくまで副産物にすぎず、中心的な目的となることはありません。

＜響き＞

本物の導きには気分を高揚させ、やる気にさせ、人を勇気づける響きがあります。常に「あなたならできる」という励ましの言葉をかけ続けてくれるでしょう。偽の導きはその正反対で、あなたが自信と安心をなくすよう仕向けます。

＜生まれる場所＞

本物の導きは、祈りの言葉や瞑想に対し、まるで稲妻のような速さで訪れます。その一方、偽の導きは訪れるのが遅く、反応するのは祈りや瞑想ではなく、恐れの感情です。アイデアが浮かんだら、それを実行に移す方法を少し離れたところから見るよう心がけてください。何か心配なことがあるなら、エゴの悪影響がすでに出ているのかもしれません。安らぎの中で瞑想しているのなら、ハイヤーセルフが、聖なる集合的無意識とつながるための空間を創ってくれるでしょう。そもそも、アイデアをもたらしてくれたのもハイヤーセルフだったかもしれません。

＜親近感＞

本物の導きによってもたらされるアイデアは、持って生まれた才能や志向、情熱や興味の対象と合致しているのが普通です。偽の導きでは、まったく興味がない分野についてのアドバイスがもたらされます。

こうした特徴に気づくことによって、従うべきアイデアの取捨選択に自信が持てるようになるでしょう。自分が行くべき道を歩んでいること、成功するための意図を持っていることを確かめられます。明確な思いを一刻も早く実現させるためには、一定の自信が必要となるでしょう。

クレアコグニザンス能力と聖なる声を聞く能力を組み合わせれば、アイデアを生成する過程をさらにレベルアップできるでしょう。この方法については、次章で詳しく述べます。

思いを媒体にしてメッセージを受け取る

天使体験には、思いを媒体とするものもあります。

＝本物の天使体験＝

◎一貫性のある概念が繰り返し送られる
◎問題の解決法と、他者をいかにして助けられるかがメッセージのテーマとなっている
◎内容がポジティブで、自信が持てる
◎現時点でなすべきこと、その次になすべきことについて

の明確な指示が与えられる
◎元気が出るような素晴らしいアイデアを与えてくれる
◎祈りに答える形で、あるいは突然もたらされる
◎自分でできることをするよう仕向ける
◎真実であることが感じられ、納得がいく
◎自分の志向や興味の範囲、あるいは才能に合った内容のメッセージが送られる

＝想像、あるいは偽の導き＝

◎内容がばらばらで、常に変わる
◎いかに有名になるか、いかに裕福になるかがテーマである
◎やる気をそぐような内容で、言葉遣いが荒い
◎最悪のケースばかりが提示される
◎気が滅入り、恐ろしい思いばかりが浮かぶ
◎心配に対して、答えがもたらされるタイミングが遅い
◎手早く稼ぐ方法が示される
◎内容がうつろで、悪意が感じられる
◎それまでまったく体験しなかったこと、まったく興味がなかったことばかりが示される
◎他者を助ける方法ではなく、現状から逃げ出す方策が示される

次の章では、天使の声を〝はっきりと聞く〟能力であるクレアオーディエンスについて見ていくことにしましょう。

第9章

クレアオーディエンス

私はかつて、隔離精神病棟で心理療法師として働いていました。そんな私が今、どこからともなく響いてくる声を聞く方法を人々に教えているのは、皮肉なことかもしれません。しかし、神や天使の声ほど思慮深く、分別に満ちた響きはありません。表面上は混沌とした状態にも、愛が必ず宿っている事実を伝えてくれます。困難な状況が生まれれば、それに対する論理的な解決法を与えてくれます。

魂があげる声を聞く能力を〝クレアオーディエンス〟といいます。〝明らかに聞く〟という意味の言葉です。この能力がどのようなものなのか、そして、この能力をどのように伸ばしていったらいいのかについて見ていきましょう。

天界からの声を聞く方法

誰もが、天使をはじめとするスピリチュアルな存在の声を聞いたことがあるはずです。次のような体験はありませんか？

◎目を覚ましたとき、自分の名前を呼ぶ声がした
◎どこからともなく漂ってくる、天界の音楽としか思えないものを耳にしたことがある
◎頭の中で、あるいはラジオから同じ歌が何回も繰り返し聞こえる
◎片方だけの耳に、鈴が鳴るような甲高い大きな音が聞こ

える
◎見知らぬ人々の会話の中に、聞きたかった事柄が含まれていた
◎テレビやラジオのスイッチを入れた瞬間に、知りたかったことが放送されていた
◎愛する人が困っているような気がしたとき、その人が支援を求めていた
◎警告を知らせたり、人生を豊かにするメッセージを送ってきたりする声が聞こえる
◎なくした物を探しているとき、協力を祈ると、ありかを伝える声が聞こえてきた

質問に対する答え

　神と天使は質問に対する答えを与えてくれるので、私たちがしなければならないのは尋ねることだけです。
　あるとき私は、〝神を恐れる〟ことが有益であるという考えを広めたキリスト教の宗派について知りたいと思っていました。なぜそんなことをしたのかを知りたかったのです。創造主を恐れることなど、とても理解できませんでした。それに、なぜ神を恐れるよう熱望したのでしょうか。そこで私は天使に語りかけ、この信念体系について理解できるよう協力を頼んだのです。運転しながら質問を脳裏に思い浮かべ、ラジオをいじっていると、次の瞬間流れてき

たキリスト教系ＦＭ局のトークショーで、まさに私が知りたかったことが話題になっていました。そして司会者が、キリスト教徒が〝神を恐れるべき〟理由について説明し始めたのです。彼の見解には同意しかねましたが、尋ねてすぐに答えがもたらされたことに対しては心から感謝しました。

何か知りたいことはありますか？　あるいは、人生について導きを与えてもらいたいことはありますか？　今すぐに、神や天使に尋ねてみてください。質問が天国まで届くという意図を持ち続けてください。そして、必ず答えがもたらされることを信頼してください。すぐにもたらされなくても、あなたの声はまちがいなく届いています。

音を媒体とした答えは、一日ほどでもたらされるはずです。歌が媒体になることもあります。ラジオから繰り返し同じ曲が聞こえてきたり、特定の曲が頭から離れなかったりするときには、その歌詞が答えかもしれません。あるいは、その曲を聴いて誰かを思い出したら、その人があなたを思っているというしるしかもしれません。

朝目覚めるとき、どこからともなく声が聞こえてくることがあります。これは、天使やスピリットガイドがあいさつしている声です。目覚めの瞬間、人間の精神は最も冴えていて、スピリチュアルなコミュニケーションには最良のタイミングなのです。また、完全に眠っている状態よりも、メッセージの内容を記憶しやすいでしょう。あいさつの言葉に特別な啓示が加えられるときには、そう知らせてくれます。名前を呼ぶ声が聞こえるときには、あなたに対し、誰かが何かを訴えているわけではありません。見守っていることを知らせてくれる、愛情のこもったあいさつなのです。

答えがもたらされないと思えるときには、あなたが見逃しているのかもしれません。あるいは過去に、与えられた導きを感謝と共に受け容れられなかったことがあったため、聞き入れようという気持ちができていないのかもしれません。このような場合、新しいメッセージを感知することはできないでしょう。自分で自分を妨げてしまっているからです。答えがもたらされるまで、根気よく質問を続けてください。天使に向かって、天界から送られてくる音を聞くのを助けてくれるよう頼んでください。時間はかかるかもしれませんが、必ず聞こえるようになります。

私の生徒に、スピリチュアルカウンセラーのティエナという女性がいます。私が主催する霊能力開発コースに参加していましたが、３日目が過ぎてもきちんとしたメッセージが聞こえなかったので、少し焦っていました。エンジェルリーディングを行っても、伝わってくるのはひとつかふたつの言葉だけでした。クラスメートに対してリーディングを行っているときに耳に届いたのも、〝叔父〟と〝事故〟という単語だけでした。後に明らかになったのは、ティエナがリーディングを行ったクラスメートが、叔父さんを事故で亡くしたという事実でした。

「でも、私はきちんとした文章という形でメッセージを受け取りたいのです」

とティエナは訴えました。

「神や天使と、完全な対話をしたいのです」

私は、ティエナに付いている天使に対し、救いを求めました。すると、次のようなメッセージが聞こえてきたのです。

ティエナ、今のままの状態で学びを続けなさい。持続と忍耐があれば、わたしたちの声を聞けるのも時間の問題です。

そしてコースの5日目、ティエナが私に駆け寄ってきて、「聞こえました！　天使の声が聞こえたんです！」と言いました。天使が言っていたとおりです。声を聞きたいという意図を持続し、いつ起きるかもしれない現象に対する忍耐を忘れなかったティエナの耳に、とうとう天使の声が響きました。その日以来、ティエナは天使との対話を完全な形でこなせるようになりました。天使は、彼女自身に対する導き、そしてもちろん、彼女のクライアントに関する情報も与え続けています。

耳の中で響く音

多くのライトワーカーが、鈴が鳴るような高い音を片方の耳だけで聞くという体験をします。ときには痛みまで感じるほどの、しつこい響きです。医師に診察してもらっても、ごく普通の耳鳴り（聴覚神経障害）ではありません。こうした音は、物理的な根源のない、数多くの情報が盛り込まれた電子的刺激なのです。天界から送られてくる導き、支援、そして情報が一定の〝周波数帯〟に凝縮されるのです。ひと昔前、電話回線経由でインターネットに接続すると、独特の音がしたのを覚えているでしょうか？　これが、耳鳴りのような音と同じなのです。

耳の中で響く音と一緒に、耳たぶを引っ張られるような気がすることがあります。天使やスピリットガイドが、あなたの注意を惹いている証拠です。音に込められたメッセージの意味合いを、意識して理解する必要はありません。受け容れるだけでいいのです。送られてくる情報はすべて無意識の部分に蓄積され、それがポジティブな形であなたの行いに作用し、あなたがライトワーカーとしてこなすべき仕事をいつまでも躊躇することなどがないようにします。

低い存在や闇に棲むものが音を出しているのではないかという心配は無用です。聖なる愛から発せられる情報に込められたエネルギーが鳴り響く音があなたの耳に届くのです。低い力しか宿さないものが、高い周波数の音を出すことはできません。

あなたの耳に届く音は、あなたが今の人生でなすべき役割を知るために捧げた祈りへの答えです。音があまりにも大きくなったり、鋭くなったり、あるいは止まらなくなったりしたら、天使に頼んでみてください。痛みがもたらされているので、ボリュームを下げてほしいことを告げるのです。音が小さくなっても、送られてくる情報の量は変わりません。より静かにもたらされるようになるだけです。耳たぶをつままれたり、引っ張られたりする感覚も、痛みが強ければ天使やスピリットガイドに伝えてください。すぐにおさまるはずです。

私自身も、音の大きさと耳たぶに感じる痛さを体験し、天使とスピリットガイドに助けを求めたことがあります。祈りを捧げた後、不快な感覚は一切なくなりました。私たちが頼むことで天使が気分を害することはありません。むしろ、私たちを助ける最良の方法を知るため、どんなことでも伝えてほしいのです。

どうしたら話しかけてくる相手がわかるか

あなたに届く声が誰のものなのかが心配なら、直接問いかけてみるのが最良の方法です。質問にもたらされる答えが信じられないときには、声の主に対し、証拠を示してくれるよう頼みましょう。示されるものによって心が美しい感情で満たされることもあれば、特定の存在でしか知りえない、あるいはなしえない事実が告げられることもあります。次にいくつか例を示しておきます。

◎神の声はとても大きく、的を射た内容ですが、それに加えて気さくで親しげな響きがあります。ユーモアや時代に適した言い回しも含まれています。

◎大天使の声はとても大きく、的を射た内容を伝えてくれます。礼儀正しく、単刀直入な口調が特徴です。聖なる愛について多く語り、人間として担うべき役割に忠実であることを語り、人生の目的や役割を果たす上での疑いや恐れ、そしてぐずぐずと先延ばしする態度を克服する方法について教えてくれます。

◎天使は、シェークスピアの戯曲の登場人物のような古い時代の堅い口調で語りかけてきます。

◎ハイヤーセルフは、自分の声と同じ響きで語りかけてきます。

◎エゴの言葉遣いは、汚く、悲観的で考えすぎで、気が滅入るような響きが込められています。そして、伝えられる文章は必ずといっていいほど〝私〟という言葉で始まり、そこに自己中心的な本質が見え隠れしているといえるでしょう。

クレアオーディエンス能力を伸ばす方法

すべての人が自然な形で霊能力を具えており、クレアオーディエンス能力もその一部にほかなりません。ただし、前述したように、４つの能力の中でひとつが特に優れているということが多いのが事実です。自動車のエンジンの構造をイメージしてみてください。中には、シリンダーが４つあります。エンジンの働きを考えればシリンダーは４つとも大切ですが、最初のひとつが発火し、その後に残りの3つが続きます。4つの中でも、特に優れた能力が聖なる導きというエンジン全体を動かすのです。

生まれつき聴覚が鋭いタイプの人は、神と天使の声を耳にしているはずです。ただし、クレアオーディエンス能力が〝プライマリー・クレア〟ではない人々にとっては、神や天使の声を聞くのは難しいかもしれません。天使から警告やメッセージを受ける人について知り、なぜ私の天使は話しかけてきてくれないのだろう、と不思議に思ってしまうこともあるでしょう。次に、聖なる存在の声を聞く能力を伸ばすための方法を記しておきます。

聖なる声を聞く①耳のチャクラを浄化する

ここまで何回か触れてきたように、4つの〝クレア〟にはそれぞれに対応するチャクラがあります。クレアオーディエンスに対応するのは、両耳のチャクラです。

両耳のチャクラは眉の上あたり、頭の中にあり、赤みがかった紫色をしています。眉の上、頭の中で、紫色の2枚の円盤が時計回りで回転している様子をイメージしてみてください。この円盤に、体の内側から輝く白い光が当たっています。白い光には、チャクラを浄化する働きがあります。白い光で浄化された耳のチャクラを思い浮かべてください。色が鮮やかになり、大きくなります。クレアオーディエンス能力が落ちていると感じられるときはもちろん、チャクラの浄化は毎日行ってください。

聖なる声を聞く②霊的残骸を解き放つ

ほかの人から口汚い言葉で攻撃されたり、自分で自分を傷つけるような言葉を向けたりしてしまったときには、負の言葉が発するエネルギーで耳のチャクラが毒されています。天使に頼んで、心安らぐエネルギーで包み込んでもらいましょう。

耳のチャクラに溜まっている抑圧された負のエネルギーは、次のような方法で解き放つことができます。攻撃的な言葉を向けてきた人（自分も含めてください）全員の名前を紙に書き、その紙を、ミネラルウォーター用のプラスチック製容器に入れます。容器ごとフリーザーに入れて凍らせましょう。効果はすぐに現れ、なんともいえない安堵感が生まれます。容器は、少なくとも３ヶ月はそのままにしておきます（ちなみに、この方法は問題の種類に関係なく効果があります）。

聖なる声を聞く③遮断した周波数を取り戻す

子どもの頃、両親や先生、あるいはほかの人―おそらく自分も―の声を無視した覚えがありませんか？　絶え間なく繰り返される小言やそのほかの不快な言葉を防御する方法は、無視することだけだったかもしれません。このような場合、不快な声が属していた周波数帯全体を遮断してしまった可能性が否めません。

同じ周波数帯に、別の声が存在していたかもしれないのです。たとえば、母親と同じ高さの声で伝えられる聖なる導きは聞こえなくなっているかもしれません。また、自分自身の声を遮断していると、ハイヤーセルフが語りかけてくる声も聞こえなくなります。

ただし、一度自ら遮断した周波数帯に属する声も、再び聞くことができるようになります。特定周波数の声が聞こえなかった原因は自らの意志だったので、すべての周波数帯に属するすべての音を聞くという意志を持てば、聞こえなかったものも聞こえてくるようになります。

聖なる声を聞く④音への敏感さをあげる

毎日、ほんの少しの時間でかまいません。自分の周囲で聞こえる音に意識を向けてみてください。鳥のさえずりや子どもの笑い声、車が通り過ぎる音。またごく普通の動作が生む音にも意識を向けましょう。本のページをめくる音、文字を書く音、あるいは呼吸の音などです。自分の周囲のかすかな音、そして明確に耳に伝わってくる音に注意することによって、天使やスピリチュアルガイドの声に対する感度を上げることができます。

聖なる声を聞く⑤耳を守る

天使の声に対する感度が上がるにつれて、大きな音が以前よりも気になり始めます。そこで、飛行機が着陸する瞬間などは両耳を覆って守るようにしてください。また、コンサートに行くときには、音の響きが大きすぎる一番前の列は避けるようにしましょう。電話の相手にも、できるだけ静かに話してもらい、レストランでは騒がしいグループから離れたテーブルに座るのがいいでしょう。ホテルに泊まるときには、エレベーターや製氷機からできるだけ離れた部屋を予約するように心がけましょう。

聖なる声を聞く⑥天使に頼む

穏やかで静かな性格の天使もいれば、内向的なスピリットガイドもいます。メッセージの内容が把握できないときには、遠慮しないで「もう少し大きな声で話してくれませんか？」と頼みましょう。生きている人と話をしているときと同じです。精神世界の人々は、人間とのコミュニケーションを望んでいます。私たちが本心を伝えることによって、最良の方法を求める彼らが工夫し、声の聞こえ方もちがってくるのです。

私の母ジョーン・ハナンも、天使とスピリットガイドの声をなかなか聞くことができませんでした。そこで、もう少し大きな声で話しかけてくれるよう頼みました。それでもメッセージが十分に伝わってこなかったので、強い口調で「もっと大きな声でお願いします！」と言ってみたそうです。すると次の瞬間、母の祖母の声が「私はここにいるわよ！」と言うのが聞こえました。私にとっては曾祖母ですが、彼女が言いたかったのは、このようなことだったのではないでしょうか。

「どならなくてもいいのよ。すぐ隣に立っているんだから。

良く聞こえるわ」

聖なるコミュニケーションを主導するのはあなた自身です。精神世界の住人たちにボリュームを下げてほしいときには、そう頼めばいいのです。

天使
大天使
ミディアムシップ
天使との対話
4つの〝クレア〟
クレアボヤンス
クレアセンシェンス
クレアコグニザンス
クレアオーディエンス

天界のメッセージを聞く

大衆文化では、〝声が聞こえる〟と言うと精神面を疑われることが多いのが事実です。ところが、こうした通説とは対照的に、世界中の聖人や賢者、そして偉大な発明家が、耳に届くメッセージという方法で導きを与えられています。私自身も、カージャック事件の直前に、大きな声ではっきりと警告してくる声を聞きました。私と同じ、説明が不可能な方法で危険から救われたという人はたくさんいるのです。

本物の聖なるものの声、想像、そして幻聴の差は明確です。天使からの本物のメッセージと想像を区別する方法については、私自身が多くを語ることができますし、情報も豊富です。幻聴に関しては、科学的見地からいくつかの指摘が行われています。研究家D・J・ウェストは、幻覚と本物の霊的体験のちがいを次のような言葉で定義しています。

病理的な意味合いで言う幻覚は、ある種の固定化されたパターンで生じる傾向が強い。病理的な症状が出ているときには繰り返し起きるが、症状が沈静化している時期には起こらない。また、幻覚が起きるときには、意識混濁および周囲の状況に対する認知障害が伴うことが多い。自発的な霊的（現在では〝超常現象〟という表現が使われることが多いようだ）体験は、疾病や機知の障害とは無関係な形で起きるもので、周囲の状況とのつながりが失われることはない。

精神科医ブルース・グレイソンは、診察の結果統合失調症の可能性がないとされた68人の患者に対する独自の調査を行ったことがあります。グレイソン博士は、調査対象のちょうど半数が幽霊を見た体験があることを知りました。目撃体験は、物理的な形で、すでに亡くなった人々の姿を見たという内容でした。

霊能力研究家カーリス・オシス博士とエルレンドゥール・ハラルドソン博士は、幻覚が起きるとき、体験者は生きている人間に会ったと感じる事実を指摘しています。一方、ビジョンを含む霊的体験では、天使や亡くなった人々、あるいは天界の英知といった存在を見ていると信じています。

天界は、はっきりとした、物理的に耳に届く声で語りかけてくるかもしれません。あるいは、ごく静かに頭の中で響く声かもしれません。また、たまたま耳に入ってくるほかの人々の会話がメッセージとなることもあるでしょう。頭の中で繰り返し響き、ラジオから何回も聞こえてくる曲が、祈りの答えであるかもしれません。

＝本物の天使体験＝

◎〝あなたがた〟とか〝わたしたち〟という主語で文章が始まる
◎自分自身の声なのに、ほかの誰かが話しかけているような気がする
◎メッセージの内容が、心配事や質問に直結している
◎語りかけてくる内容が的確で、単刀直入である
◎声の響きが愛に満ちて、ポジティブで、危険を警告するものであっても温かさが感じられる
◎愛されるようになるために考え方や姿勢を変えることを含め、即座に行動することを求めてくる
◎目覚める瞬間に名前を呼ぶ声が聞こえる
◎どこからともなく、美しい音楽が聞こえてくる
◎自らを高め、他者を助けるためのメッセージが送られてくる

＝想像、あるいは偽の導き＝

◎〝私〟という主語で文章が始まる
◎独り言を言っているような気がする
◎送られてくるメッセージが解りにくく、不明瞭で、謎めいている
◎送られてくるメッセージは、言葉の量が多いわりに曖昧である
◎声の響きが人を嘲るようだったり、不安を抱かせるよう

なものだったり、残酷な感じがする
◎メッセージに、他者に関するゴシップや憶測が盛り込まれている
◎言葉遣いが汚い
◎大きな不快な音、あるいは不協和音のような音楽が聞こえる
◎あなたや他者を傷つけるようなメッセージが伝えられる

メッセージに注意を向ける

ビジョンであれ、声であれ、思いや感覚であれ、そしてその組み合わせという形であれ、メッセージに十分な注意を払い、性質をよく吟味すれば、本物の導きと偽物の導きの見分けはつくはずです。寿命を迎える前に生死を分けるような状況に直面したときには、いかなる方法であっても、天使が大きな声ではっきりとした導きを与えてくれます。

すべての人が、まったく同じ才能を贈りものとして受けて生まれているので、天使とコミュニケーションを取るための能力は平等に与えられています。ほかの人よりも霊能力が高いと感じられる人もいますが、それは、彼らが自ら聞こうという意志を持ち続け、信じ、自らのスピリチュアルな感覚を信頼しているからです。

もう一度強調しておきたいことがあります。天使体験の最大の障害となるのは、何かを無理やり起こそうとしたり、

何かを体験しようと意地になったりしてしまう態度にほかなりません。天使の姿を見て、その声を聞くことに意識を向けすぎ、必死になりすぎてしまう人がいます。こうした態度が自分を縛り、天使体験から遠ざけることにつながります。しかし、必死になって何かをつかもうとしているときには、恐れの気持ちが必ず介在している事実を忘れてはなりません。何も見ることも聞くこともできないかもしれない。私には天使など付いていないのかもしれない‥‥、こういう気持ちのほかにも、エゴが生み出す恐れの感情はさまざまなものがあります。エゴに霊的な部分は一切ありません。愛の上に存在し、私たち一人ひとりの中にいるハイヤーセルフだけが、聖なるものとのコミュニケーションを実現してくれるのです。

リラックスできればそれだけ、意識的な形での天使とのつながりが簡単にできるようになります。呼吸から始めてみてはどうでしょう。子どものような楽観主義も役に立ちます。子どもたちは、「もちろん天使が付いてくれているよ。みんなそうでしょ？」と言うでしょう。子どもたちは、たとえ天使の姿が自分の想像であっても、まったく気にしません。ただ単に、天使という存在を楽しみながら受け容れます。

結果として、ガーディアンエンジェルの姿を見たり、声を聞いたりすることが頻繁に起きるのです。聖なる存在とのつながりが本物かどうか、心配するのを辞められることが、一つの指標となるでしょう。エゴを克服し、自然な形で、ハイヤーセルフの贈りものを楽しむことができるようになります。天使の言葉に耳を傾けてみましょう。

恐れは、霊的領域における捕食者にほかなりません。あなたの精神から創造性を剥ぎ取り、気分やスケジュール、そして決断を支配することを強いてくるでしょう。恐れは、そもそもとても強い存在であるあなたを弱めます。あなたの決断能力も鈍ってしまいます。幸福感で満たされているあなたの内部領域に、恐れを侵入させてはなりません。あなたの中に広がっているのは、神の偉大な祝福の王国にほかなりません。あなたは、いかなる心配事が宿すよりも強い力を持っています。あなたの聖なる意欲が、いかなる闇をも克服します。あなたの中で輝く光に意識を向ければ、創造主が放つまばゆい光が、いかなる敵の目をもくらませるでしょう。

天使と本当につながれるのかを疑う代わりに、すでに天界から与えられているメッセージに思いを馳せましょう。そして、聖なる存在との絆をさらに強めていく方法を考えましょう。次の章では、エンジェルリーディングについてお話しします。

MEMO

第10章

エンジェルリーディング

私の人生の目的は、クライアントに対してエンジェルリーディングとスピリチュアルヒーリングを行うことではありません。多くの人々に、それぞれのクライアントに対するエンジェルリーディングとスピリチュアルヒーリングの方法を伝える、それが目的です。私は、教え子であるスピリチュアルカウンセラーに対しても、多くの人々に知識を伝えることを勧めています。人から人へ知識が伝われば、決して終わることのないさざなみがどこまでも広がり、私たちすべてに天使が付いていること、天使とのコミュニケーションが可能であること、そして私たち一人ひとりがスピリチュアルな才能を宿し、ほかの人々や地球を救うことができることが明らかになります。

霊能力によるリーディングとエンジェルリーディングの最大のちがいは、情報を与えてくれる存在です。霊能力によるリーディングでは情報を与えてくれるのがスピリットガイドであり、エンジェルリーディングでは神や天使が情報を与えてくれます。エンジェルリーディングは、単なる占いではありません。力を得て、前向きに生きていくためのメッセージを伝え、クライアントが自分に付いている天使とつながるためのスピリチュアルな道具を提供するものです。また、エンジェルセラピーによる癒しも含まれます。この側面については、第12章で詳しく触れていきましょう。

次に紹介するのは、私が霊能力開発コースで行っているのとまったく同じ手順です。これに従えば、あなたも自分自身や他者に対してエンジェルリーディングを行えるようになります。

エンジェルリーディングの方法

エンジェルリーディングは、霊能力によるリーディングと似ています。ただし、質問を向けたり、癒しを与えてくれたりするのは、ガーディアンエンジェルやスピリットガイドではありません。

エンジェルリーディングを行う相手は、考え方が柔軟で偏見がなく、そして個人的には交際していない人がいいでしょう。スピリチュアリティーを学ぶグループで知り合った新しい友人は、リーディングの理想的なパートナーとなってくれるでしょう。もちろん、家族や古い友人を相手にリーディングを行ってもかまいません。あなたのエゴは、大きな声をあげて訴えてくるでしょう。この人については、すでに知りすぎるくらいに知っている！　エゴの声を無視することができるようになれば、誰に対してもリーディングを行うことができます。

最初に説明するのは、相手とペアになって同時にリーディングし合う〝ミューチュアルリーディング〟です。あなたが信頼を寄せているスピリチュアルな存在に対する祈りの言葉で始めましょう。

私が聖なるコミュニケーションの明確な手段となれるよう、助けてください。私とパートナーに祝福をもたらして

くれる、正確で詳細なメッセージを明らかに聞き、見て、知り、感じられるようにしてください。このリーディングを見守り、私が心身ともにリラックスし、楽しめるようにしてください。ありがとう。

次に、パートナーと正対する形で座ってください。二人とも身に着けている金属製のもの（時計や指輪、ネックレス、ベルトのバックル、ヘアピン、めがね、あるいは車のキー）を外し、相手に渡してください。相手から渡されたものは、利き手ではないほうの手で握っておきましょう。文字を書くのに使わない手は、エネルギーを受ける〝受容の手〟です。開いているほうの手を握り合い、しばらくそのままでいます。握り合った手は、パートナーの膝の上などがいいでしょう。そして目を閉じ、深い呼吸を続けながら、次のような場面をイメージしてください。

あなたがたふたりは、美しい紫色のピラミッドの中にいます。このピラミッドによって、ふたりは白い砂がどこまでも続くハワイの美しいビーチへ移動しました。ピラミッドが砂の上に着陸し、一部が開きます。外には、美しい島のこれ以上ない美しい一日の光景が広がっています。ふたりが立っているビーチは、船や飛行機を使わなければ来ることができません。人影はまったく見えないので、美しいビーチはふたりだけのものです。

夏の優しい風が肌を撫で、髪をそよがせます。潮を含んだ空気の香り、自然が奏でる音楽のような波音を楽しんでください。頭上から射し込んで来る暖かい陽光は、まるで踊っているようなきらめきを放ち、あなたの心を体も輝かせます。

遠くのほうに目をやりましょう。イルカの群れが楽しそうに泳いでいるのが見えます。イルカたちと波長を合わせると、聖なる愛の大きなエネルギーが送られてくるのが感じられます。目の前に広がる美しい光景と、遠くを泳いでいる美しい生き物の姿。あなたの心は温かさと感謝の念で満たされ、ふと気が付くと、あなた自身がイルカになって群れの中で泳いでいます。意識がさらに広がり、あなたは、海ガメも熱帯魚も含め、自分が海のすべての生き物と共にあることに気づきます。波や砂、そして太陽とも共にあります。

あなたは、すぐ隣にいるパートナーも含め、すべての生き物と共にあることに気づき、パートナーに向かって、頭の中で話しかけます。あなたと私はひとつ。あなたと私はひとつ。私はあなたで、あなたは私。あなたと私はひとつ。あなたが分かち合っている一体感は現実です。外見はちがうかもしれませんが、あなたとパートナーは内側で同じひとつの魂、ひとつの光、そしてひとつの愛を分かち合っているのです。もう一度、頭の中でパートナーに対してアファメーションを行いましょう。ひとつの愛。ひとつの愛。ひとつの愛。

この感覚を楽しんでいると、あなたはすべての天使とひとつであることにも気づきます。パートナーの姿をよく見てみましょう。両目で見ると同時に、スピリチュアルな目も大きく開きましょう。パートナーに付いている天使の姿を、心の眼で見ることができるでしょうか？　心の眼に映る天使は、どんな姿をしているでしょうか？

ケルビムのような姿の小さな天使はいますか？　中くらいの天使の姿は見えるでしょうか？　すごく大きな天使はどうでしょう？　あっという間に通り過ぎてしまうこともありますが、心の眼なら、天使たちの細部まで見ることができるかもしれません。あるいは、感覚だけで天使たちがすぐそばにいることがわかるかもしれません。

目の前にいるパートナーを、もう一度よく見てみましょう。天使は、ほかにもいるかもしれません。特に興味を惹かれる天使がいることもあります。思いを強めれば、つながることができます。

パートナーの周囲に天使の姿が見えなかったり、確信が持てなかったりしても、パートナーに祝福をもたらすメッセージの内容は正確に受け取ることができます。深い呼吸を続けながら、天使たちと会話を交わす意志を持ち続けましょう。

次に、頭の中でこう尋ねてみてください。パートナーについて、私に何を知ってほしいですか？　何か感じますか？　返答として伝わってくるものの印象を感じるまで、尋ね続けてください。思いや言葉、特定の場面、あるいは感覚が生まれるのに注意してください。もう一度尋ねてみましょう。パートナーについて、何か知ってほしいことがありますか？　無理やり何かを起こそうとしてはいけません。答えがもたらされることを信じ、心に浮かぶ思いや感覚、ビジョン、そして言葉を逃さないようにしましょう。

次に、パートナーの天使に対し、こう尋ねてみましょう。パートナーに向けたあなたのメッセージは何ですか？　今度も、心に浮かぶ思いや感覚、ビジョン、そして言葉に意識を向けましょう。受ける印象を判断したり、軽視したりするのは禁物です。一番いいのは、超然とした態度で観察に徹することです。

そして、パートナーの天使に向かい、私に話したいことはありますか？　と尋ねてみましょう。答えを待つ間、深い呼吸を忘れないようにしましょう。

最後に、頭の中で、ほかに何かありますか？　と尋ねます。

エンジェルリーディングで最も大切なのは、リーディングの最中に受けたことすべてをパートナーに伝える勇気を持つことです。あなたがまったく理解できないことでも、パートナーの気分を害してしまうかもしれないと思っても、すべてを分かち合いましょう（攻撃的な内容のメッセージでも、天使たちに最良の伝え方を教えてもらえばいいのです）。天使からのメッセージは、あなたには理解できなくても、パートナーにとってはこれ以上理に叶ったことはないかもしれません。エンジェルリーディングの最中に見たもの、感じたこと、聞こえたもの、そして思ったことは、すべてパートナーと分かち合いましょう。

エンジェルリーディングでの質問

クライアントに対してエンジェルリーディングを行うときには、天使の導きに従いながら質問に答えることができます。大切なのは、傍観者の立場を守りながら、見たもの、聞いたこと、思ったこと、そして感じたことすべてをそのままの形で伝えることです（第３章で触れた、霊能力を媒体としたコミュニケーションとまったく同じです）。

クライアントの質問は、そのまま天使に送ってください。あなたは、質問を天国に向けて送り、天国から返ってくる答えを心と体に受け容れ、クライアントに伝える仲介人です。

あなたの役割と義務は、受け取ったメッセージをためらうことなくすべてクライアントに伝えることです。もたらされた答えに100％の自信が持てなかったら、そう伝えればいいのです。とにかく、与えられる情報はすべてクライアントと共有してください。

クライアントが答えを理解しても、仲介者であるあなたが理解できないということはよくあります。エンジェルリーディングでは、あなたがクライアントと天国をつなげる電話の役割を果たすことになります。メッセージを伝えるのを躊躇したり、内容を吟味したりする電話はありません。電話は、エンジェルリーディングで仲介役となるあなたと同じく、あくまで情報伝達手段にすぎないのです。エンジェルリーディングで最も良く尋ねられる質問を次に示しておきます。

〝私に天使は付いているのか？〟

答えは、100％〝イエス〟です。天使について良く知らない人がしがちな質問であると言えるでしょう。仲介役であるあなたにとって、宗教とは関係なく、無条件の愛を注ぎ、無条件に応援してくれるガーディアンエンジェルが、すべての人に付いている事実を知らせる良い機会となるでしょう。

〝私のまわりに、誰が見えますか？〟

クライアントは、どんな天使やスピリットガイドがあなたの目に映っているのか、実際に気にすることはありません。「私の周囲にいる存在を識別できますか？」というのが質問の本質なのです。

すでに亡くなってしまった、愛する人を捜し求めている人もいるでしょう。あるいは漠然とした感覚で、自分の周囲にどのような天使がいるのかに興味を抱いている人もいるでしょう。そして、自分にも誰かが付いてくれているという事実を確認したい人もいるはずです。

静かに目を閉じ、クライアントの頭から肩にかけてのあたりに意識を集中させます。クライアントの上半身に向けて手のひらをかざし（実際に触れるのではありません）、感じ取ることもできます。

注意を惹かれる場所は、すべて調べましょう。そして深い呼吸を続けながら、クライアントに付いている存在の周波数に気づき、同調します。いかなる感覚（感情的にも、物理的にも）にもビジョン（ほんの一瞬で消えてしまっても）にも、そして思い（自分自身のものだとしても）や音、言葉に意識を向けましょう。

クライアントを取り巻いているものに向かって「あなたに関することを教えてください」と話しかけましょう。答えはそのままクライアントに伝えます。

クライアントが特定の人に会いたがっているときは、85ページの図を参照してください。そして、クライアントが自分に付いている天使の名前を知りたがっているときには、第２章で紹介した方法を試してみてください。

〝私の人生の目的は何ですか？〟

「どんな仕事に就けば幸せと意味が感じられ、それと同時に、暮らしていくのに十分な収入を得ることができるでしょうか？」

この質問には、こんな思いが込められていることが多いといえます。しかし、自分が歩んでいくべきスピリチュアルな道について知りたいと心から思っている人がいることも事実です。よって、クライアントの真意を確かめることが必要となるでしょう。

すべての人が、それぞれ人生の目的を持っています。人生の目的とは、肉体を持って物質世界に生きている間に学ぶべきことを意味します。忍耐、許す心、思いやり、バランス、そして限度。学ぶべきことは人それぞれです。

ある種の人々（ライトワーカー）は、個人の目的に加えて地球的な目的を担っています。地球的な目的とは、肉体を持って生きている間にできる貢献のことで、魂が担う役割でもあります。あなたが担う地球的な目的はヒーラーや教師、作家、アーティスト、コメディアン、あるいは動物や子どもたちのために働く人となることであるかもしれません。もちろん、ほかの職業もあるでしょう。

人生の目的に関する質問は、すべての人の役割を見通す大天使ミカエルに尋ねるのが一番です。ミカエルは最も声が大きく、余計なことは一切言わず、最も明確な形でのコミュニケーションが可能な大天使です。人生の目的に関するリーディングを行うときには、クライアントの名前（名前が秘める力については第３章で触れました）、そしてクライアントが尋ねたとおりの言葉遣いに意識を集中させます。ひとつひとつの言葉が宿すエネルギーについて瞑想しましょう。

質問の答えとして頭の中や心に思い浮かぶこと、そして体に感じたことは、自分の気のせいと思っても、そしてあなた自身に向けられたものと感じられても、すべてクライアントにそのままの形で伝えてください（天使がもたらす答えは、他者に向けられたものと思っても、じつは自分に向けられていたということが多いのです。言葉を変えましょう。天使が答えてくれることは、誰に向けたものでも価値が変わることはありません)。

ほとんどの人が、人生の目的についての方向性や詳細を知りたがっていると言っても過言ではありません。大天使ミカエルに情報を与え続けてくれるよう頼み、もたらされる答えをクライアントに伝えてください。あなたが伝えたメッセージに盛り込まれた大天使ミカエルのアドバイスに従ったクライアントが前向きな結果を得たことを知れば、人生の目的に関するリーディングにも自信が持てるようになるでしょう。

＜恋愛に関する質問＞

エンジェルリーディングにおける恋愛に関する質問で最も多いのは、「この人が私のソウルメイトですか?」というものです。疑念がまったくなければ、この質問は出ません。ソウルメイトと出会っているのなら、誰にも何も尋ねる必要はないからです。

その一方で、すべての恋愛関係に目的があり、すべてが感情的な傷(両親と関係するものが多いと言えます)を癒すためのチャンスとなります。恋愛感情による引き寄せの機能はレーザー光線のようなもので、〝その人を通じてなら自分の父親あるいは母親を許せる気がする〟という感覚が介在します。こうした〝癒し〟を基にした恋愛関係は不安定なことが多いのですが、大きな精神的成長が双方にもたらされます。

ロマンティックな関係の質問への最高の対処法は、名前が秘める力です。クライアントに、付き合っている相手の名前を教えてもらってください。その名前を思い浮かべながら、感覚や思い、ビジョン、あるいは言葉を通じてもたらされる印象に意識を向けましょう。そして、もたらされたものをそのままの形でクライアントに伝えます。

男女関係のリーディングでは、伝える答えの内容に慎重になることがとても大切です。たとえば、長い結婚生活を経て子どもがいるにもかかわらず、離婚を考えている女性がいたとします。こうした人に対しては、結婚カウンセリングなどより現実的な方法も選択肢として勧めるほうがいいでしょう。天使と一緒に、すべての人にとってできるだけ穏やかな方法を模索するべきです。

＜健康に関する質問＞

健康に関する質問では、自由意志の問題がたびたび浮上します。たとえば、あなたのクライアントが将来の健康状態について知りたがっているときは、祈りやポジティブなアファメーションなどについて知らせる絶好のチャンスです。祈りの言葉が宿す治癒力に関するデータを、インターネットやラリー・ドッシーの本で調べてみましょう。

リーディングの途中で、スピリチュアルヒーリングをするよう導かれたら、クライアントに許しを得てから行ってください。これは、まったく問題ありません。

ただし、健康問題に関するリーディングを行うときは、

天使
大天使
ミディアムシップ
天使との対話
4つの"クレア"
クレアボヤンス
クレアセンシェンス
クレアコグニザンス
クレアオーディエンス

倫理的判断について常に考えておくべきでしょう。とにかく慎重な態度で臨むことが必要です。主治医の診察をやめるよう勧めたり、医師から出されている薬の服用をやめるように言ったりするのはまちがいです（とはいえ、セカンドオピニオンを受けてみるよう勧めたり、現在服用している薬について見直すよう医師に頼むことを勧めたりするのは別です）。「疑わしきは専門家へ」というのが私のモットーです。言葉を変えましょう。自分に絶対的な自信がないときには、専門的知識を持つ人に会うようクライアントに勧めるということです。

スピリチュアリティーに一定の理解を示している医療の専門家と知り合いになって、クライアントを紹介するのもいい方法です。教会や寺院、あるいはヒーリングショップに行けば、スピリチュアリティーの専門家と知り合いになることができるでしょう。

＜リモート（遠隔）リーディング＞

リーディングを行う際、クライアントが物理的に目の前にいなければならないということはありません。誰のガーディアンエンジェルでも、場所に関係なく語りかけることができます。Eメールや手紙、そして電話でリーディングを行うエンジェルセラピー・プラクティショナーも珍しくありません。もちろん、直接会って行うリーディングと効果の差はありません。

リモートリーディングを行うときには、クライアントが目の前にいるのをイメージしてください。頭から肩にかけての部分に意識を集中させ、天使の存在やエネルギーを感じ取りましょう。大切なのは、クライアントが物理的にすぐ隣にいるように感じることです。あとは、対面リーディングと同じように、天使たちに話しかけてください。

自分が受ける印象を信じてください。リーディングの方式はちがっても、伝えられる答えの内容に差が出ることはありません。

クライアントの質問を天使に伝えるだけで、答えがもたらされます。こうした方法を使えば、クライアントのためになる価値ある導きを得ることができるでしょう。

次の章では、さらに詳しい情報を得ることができるリーディングの方法について見ていくことにしましょう。

MEMO

第11章

エンジェルメッセージ

エンジェルリーディングを始めたばかりの頃、私はタロットカードを補助的に使って追加情報を得ていました。ところが、タロットカードの絵や象徴、そして書かれている言葉に恐れを感じるクライアントもいることがわかりました。

ある日の朝方、祖母のパール（今でも天国から助けてくれています）が夢に出てきて、「ピタゴラスについて勉強しなさい」と話しかけてきました。はっとして起き上がった私は、「三角形の人ね？」と大きな声をあげてしまいました。ピタゴラスという名前は、高校の幾何学のクラスでしか聞いたことがありません。

でも私は、パールおばあちゃんの知恵と導きを心から信じていました。そこで、ピタゴラスに関する本や雑誌記事を手当たり次第に読みました。そして、逆行催眠の結果、私は前世で弟子の一人だったことも明らかになりました。

逆行催眠で知った詳しい事実と、自分で調べたピタゴラスの教えがひとつにまとまったとき、森羅万象が数的秩序と正確性に満ちていることが理解できました。すべてが生き生きと振動しています。質問すれば、その内容に対応するオラクルカードが答えをもたらしてくれます。質問する状況が発する振動にも合致します。

私は、ピタゴラス哲学とタロットの原則を基にしたオラクルカードを作るよう導きを受けました。タロットと同じ古代の英知を残しながら、恐ろしげな絵や言葉とは無縁のカードです。私にとって、長い間協力してくれていた天使をテーマにした〝エンジェルカード〟を作るのはごく自然な流れでした。

企画を好意的に受け容れてくれたヘイハウス社から出版されたカードを初めて見たとき、私はこれを創ることが人生の目的の一部であると心から感じました。人生の目的に関する大きな要素は、2つあると思います。心から楽しめること、そして、成功を実感しながら、ものごとがこれ以上ないほど順調に進むことです。どちらが欠けても、車の運転でハンドルを切り足すようにして修正を加えることができます。正しい道を進んでいるとき、2つの要素を旅程と目的地という言葉で形容することができるでしょう。

オラクルカードは、エンジェルリーディングでもたらされる答えについての基本部分、そして詳細について知らせてくれます。私のオラクルカードには、詳しい使い方を説明したガイドブックを付けてあります。誰が使っても正確なリーディングが可能で、練習を積んでいくうちに自信を持つことができるようになるでしょう。

自動手記

私の著書『エンジェルセラピー』（発行元：JMA・アソシエイツ　ライトワークス事業部）に記されている天使からのメッセージは、〝自動手記〟と呼ばれる過程を媒体としてもたらされたものです。この方法を使うと、天国からのメッセージをごく詳しいところまで記録することができます。自動手記のために送られてくる言葉には、自分が普段使わないものが含まれます。筆跡が変わることもあり、それまで知らなかった言葉が突然書けるようになったりすることもあります。

自動手記は、精神的成長の過程で人間を支えてくれるものでもあります。たとえば、自動手記を通じて神やガーディアンエンジェル、天界の英知、そして大天使たちと対話することもできます。天使に対して、名前やそのほかのことを尋ねてみてください。また、大天使や天界の英知に対しては、あなたが人生の目的を忘れないよう、そしてそれに向かってたゆまぬ努力をできるよう頼むことができます。

自分で受け取るものは手書きで残すことも、タイプライターやワープロに打ち込んで残しておくこともできます。手書きで残す場合は、大きな紙を少なくとも4枚準備しておいてください。しっかりとした作りの机と、頑丈な筆記用具も必要です。リラックスできる体勢で座り、心が安らぐ音楽をかけておくといいでしょう。

自動手記は、祈りを捧げてから始めてください。次に紹介するのは、私がいつも捧げている祈りの言葉です。私自身の精神的信念に基づくものなので、自分だけのものにするためには少し書き直しが必要かもしれません。祈りの言葉を向ける対象については、誰に対しても具体的に指示したことはありません。効果的に助けを求めるための言葉として紹介しておきます。

神と聖霊、イエス、大天使ミカエル、私のすべてのスピリットガイド、私に付いてくれているすべての天使。私がこれから行おうとしている自動手記を見守ってください。私を訪れてくれる存在が、前向きな考えと愛に満ちていることを確かめてください。あなたがたとの間で交わす聖なるコミュニケーションの内容を私が明らかに聞き、見て、具体的なイメージを描き、そして感じられるようそれぞれの能力を高めてください。メッセージを正確に受け取り、それによって私、そして私が書き留める文章を読むすべての人に祝福がもたらされるようにしてください。ありがとう。

そして、あなたが自分でつながりたいと思う天界の存在を思い浮かべ、言葉を交わしてくれるよう頼みましょう。文章は、インタビューのようにあなたが質問し、それに対してもたらされた答えをQ＆A方式で書き残していきます。自動手記の最中に覚えておくべき最も大切なのは、伝わってくることをそのままの形で残すことです。気のせいかもしれないと思うことも、伝えられたままの形で書き留めておきましょう。何も伝わってこないときには、そう書いておきます。自分に起きていることをすべて書き残すことから始めれば、やがてそれが切り替わり、スピリチュアルな存在との本物のコミュニケーションになります。

自動手記を行っている間は、あなたが握ったペンや鉛筆を誰かが操っているような感覚にとらわれるかもしれません。前述したように、筆跡や使う言葉、そして文字の書き方も変わるでしょう。これを怖がる必要はありません。恐れの感情は、聖なるコミュニケーションの妨げとなります。神と大天使ミカエルに守られていることを忘れないでください（大天使ミカエルは自ら〝用心棒〟となってあなたを守り、愛に満ちた意図を宿さないものを近づかせません）。

手が動いて小さな円をいくつも描くことがあります。これは、精神世界の住人たちが「触れ合うことができて、とても嬉しいです」と言ってあなたを歓迎しているしるしです。いたずら書きがあまりにも長く続くように感じたら、次のような言葉をかけてみてください。

「私もとても嬉しく感じています。でも、私がわかるような言葉でメッセージを送ってくれませんか？」

エゴも全力で介入してきます。すべてが気のせいであると伝えてくるにちがいありません。エゴの介在を少しでも感じたら、あなたがコミュニケーションを取っている相手に対し、こう尋ねてみましょう。

「この現象が私の想像力の産物ではないことをどうやって知ることができるでしょうか？」

返ってくる答えは説得力に満ちているので、あなたも満足するはずです。それでも確信が持てないときには、エゴを追い払うようなメッセージを送り続けてくれるよう頼みましょう。あるいは、物理的なしるしを送ってくれるよう頼んで、書く手を意識的に一瞬止めましょう。しるしが送られてきたら、コミュニケーションの信憑性に自信が持てるようになるでしょう。

それでは、心から答えが知りたいことを思い浮かべてください。スピリチュアルな存在を思い浮かべ、質問します。答えを受ける準備を整えながら、ページの一番上に質問を書いておきます。答えがもたらされることを期待しながら、楽観的に、前向きな気持ちで待ちましょう。

思い、感覚、言葉、そしてイメージ。4つの〝クレア〟を媒体として伝わってくるすべての印象を記録します。ひとつの質問に対する答えがもたらされたら、次の質問に進みましょう。

最初のひとりとの会話が終わったら、別の人に出てきてもらうよう頼むこともできます。ただし、会話が終わるときにきちんとお礼を言うことを忘れないでください。

天使は、人間にメッセージをもたらすことが大好きである事実を語ります。また、そうすることが神の意志の実行につながるので、天使のためにもなるのです。天使を想うとき、私たち人間の心は感謝であふれんばかりになります。この感謝の念が、物質世界と精神世界を行き来する〝愛している〟という言葉になり、天界から届いたラブレターの結びの一文となるのです。

自分の天使に対して質問し、答えを受ける練習をしてください。時間の経過と共に、天使とエゴの声のちがいをすぐに聞き分けられるようになります。電話に出て相手が話し始めた瞬間に、相手が愛する人か、それとも何かのセールスかわかるのと同じことです。そして練習を積むに従って、愛に満ちたアドバイスに従えば何の問題もないことを理解し、天使の導きを信頼し、拠りどころとできることがわかるでしょう。

より良く、より明らかな形でメッセージを伝えてくれるよう、あるいはメッセージの解りにくい部分について教えてくれるよう天使に頼むこともできます。次に、聖なるコミュニケーションの感度を上げるための方法を示しておきます。

コミュニケーションの感度を上げる①呼吸

人間は、ストレスがかかると呼吸がスムーズではなくなります。息を詰めた状態では、ストレスを緩和するためのメッセージが聞こえません。天使と言葉を交わしているときには、深い呼吸を心がけてください。私が天使から聞いたところによると、メッセージは酸素の分子に乗せて届けられるそうです。新鮮な空気を体内に取り入れることによって、メッセージの意味合いが明確になるのです。自然の中や水辺（シャワーやバスタブの中も含みます）にいるときに天使の声が聞こえやすいのには、きちんとした理由があります。

コミュニケーションの感度を上げる②リラックス

聖なる存在とのコミュニケーションについてあまりにも意識しすぎたり、力を入れすぎたりしてしまうと、それが妨げとなってしまいます。天使の声を聞くために緊張する必要はありません。言葉を交わしたいという気持ちは、天使のほうが強いのです。呼吸を繰り返しながら、体全体をリラックスさせましょう。自ら進んで受け容れる状態を作り、心と体から緊張を解き放てるよう天使に頼んでください。

コミュニケーションの感度を上げる③導きに従う

食生活の改善を求められたら、それは加工食品と化学物質が聖なるコミュニケーションの妨げとなる事実を天使が知っているからかもしれません。あなたに付いている天使は、彼らの声をより良く聞くための方法に関しては最良の教師にほかなりません。天使に向かって、協力と導きを与えてくれるよう頼んでください。そして、与えられた導きには従ってください。

コミュニケーションの感度を上げる④しるしを求める

天使の言葉を正しく聞き、理解しているか確かめたいときには、しるしを送ってくれるよう頼んでください。ここまで何回も書いていますが、しるしの形や伝えられ方を限定すべきではありません。無限の創造性を秘めた存在である天使にすべてを任せましょう。あなたにとってわかりやすい形で素晴らしいしるしを送ってきてくれるにちがいありません。天使の愛すべきユーモアのセンスで、喜びも倍増するでしょう。

天使は、メッセージが本物である証拠としてしるしを送ってくれます。明らかに見えたり、聞こえてきたりする形で3回以上繰り返し送られてくることもあれば、とても変わった方法で1回だけ送られてくることもあります。まったく違う人から、あるいは違う場所で3回以上同じ本のタイトルを耳にするようなことがあれば、天使がその本を読むことを勧めていると考えていいでしょう。

天使は、自分がその場にいたことを示すため、奇妙な場所に羽根を置いていくことがあります。それを見る私たちが、天使の翼を連想することがわかっているのでしょう。そして、天使の形としか思えない雲が空に浮かんでいることがあります。また、見えるものや聞こえるものではなく、どこからともなく漂ってくる良い香りという形でしるしがもたらされることもあります。天使がすぐそばにいるときに、香水や花、そして煙の匂いを感じたという人はたくさんいます。

エンジェルライト

前述したとおり、世界中で行った私の講演会に参加してくれた人々のおよそ半数が、煌く光を肉眼で見ています。カメラのフラッシュや火花にも似たこうした光は、白いこともあれば、宝石のように紫や青、緑などさまざまな色を発します。あまりにも光を感じるので目の異常ではないかと思い、眼科に行って検査をしてもらったという人も個人的に何人か知っています。もちろん、何の問題もありませんでした。

こうした光には、物理的な源泉が存在しません。だからこそ、目には何の異常も認められないのです。私は、こうした現象を〝エンジェルライト〟（天使の光）と呼んでいます。エンジェルライトは、天使が空間を移動するときに起きるエネルギーの摩擦によって発せられる光です。白い光は、ガーディアンエンジェルが発するものです。そして、カラフルな光は大天使が発しています。

大天使が放つ光の色は、次のとおりです。

＝ベージュ＝

悲嘆を癒す大天使アズラエル

＝アクアブルー＝

人間関係を調整する大天使ラギュエル

＝ダークブルー＝

記憶力と精神機能を向上させる大天使ザドキエル

＝薄いブルー＝

女性特有の健康問題とクレアボヤンス能力に手を貸す大天使ハニエル

＝エメラルドグリーン＝

癒しの大天使ラファエル

＝薄いグリーン＝

探しものを見つけてくれる大天使チャミュエル

＝グリーン＆濃いピンク＝

子どもたちに才能として与えられた能力を思い出させ、

自信を持たせる大天使メタトロン

＝赤紫色＝

美しさと思いを守る大天使ジョフィエル

＝薄いピンク＝

動物と自然、顕現を助ける大天使アリエル

＝コバルトブルーに近い紫＝

勇気と守護を与えてくれる大天使ミカエル

＝虹色＝

秘儀について教え、霊的障害を癒す大天使ラジエル

＝ターコイズブルー＝

音楽の大天使サンダルフォン

＝すみれ色＝

感情を癒す大天使ジェレミエル

＝濃い黄色＝

伝えることを仕事としている人々、
子どもを持つ人々を助ける大天使ガブリエル

＝薄い黄色＝

英知の大天使ウリエル

エンジェルナンバー

数字を通じて天使が語りかけてくることもあります。時計やナンバープレート、あるいは電話番号に、同じ数字が並んでいるのを見たことがありませんか？　同じ数字が並ぶのは、決して偶然ではありません。天界からのメッセー

ジなのです。

一つひとつの数字が力強い振動を宿していることは、ピタゴラスの時代からわかっていました。楽器やコンピューターの構造は数学的公式を基本としており、天使のメッセージにも数学的な精巧さがあるのです。次に、数字が宿す基本的な意味を示しておきます。

＝0＝

あなたは創造主に愛されている

＝1＝

浮かぶ思いに注意し、恐れではなく、

望みについてだけ考えること

思うこと、考えることが近づいてくる

＝2＝

信念を忘れずに、希望を捨てない

＝3＝

イエスをはじめとする天界の英知が助けてくれている

＝4＝

置かれている状況で天使が助けてくれている

＝5＝

前向きな変化が起きつつある

＝6＝

精神世界・物質世界の差なく、

すべての恐れを神と天使に向かって解き放つこと

物質的思考と精神的思考のバランスを整えること

＝7＝

あなたは正しい道を歩んでいる。そのまま進みなさい

＝8＝

あなたの行く先には、有り余るほどのものが待っている

＝9＝

今すぐに、人生の目的の実現にとりかかりなさい

いくつかの数字が並んでいる場合は、すべての意味を総合的に考えてください。たとえば、428は〝天使はあなたと共にあるので、信念を曲げずにいれば、有り余るほどのものが手に入る〟という意味になります。

天使は、さまざまな創造的な方法で私たちに話しかけてきてくれます。導きが与えられていることを感じたら、おそらくそれは真実です。自分の天使に、しるしとメッセージに気づくのを手伝ってくれるよう頼んでください。しばらくすると、自分の周囲で示されるさまざまなしるしを感じ取れるようになるはずです。しるしに気づけるようになれば、自分自身にも、天使との関係にも自信が持てるようになるでしょう。

第12章

エンジェルセラピー・ヒーリング

この章で紹介する方法は、瞑想やヒーリングを通じて天使が教えてくれたものです。誰でも最初から効果を期待することができます。

エーテルコードを切る

親切心からの無償奉仕であれ、仕事としてであれ、ヒーリングを行う人々は、エーテルコードの存在と、その扱い方を知っておくべきです。誰かが、恐れの感情を基にしたつながりをあなたとの間に作ったときは（あなたが去ってしまうかもしれないという恐れ、あるいは、その人があなたをエネルギー源だと信じ込んでしまっている場合など）、あなたとその人はコードのようなものでつながった状態になります。クレアボヤンス能力がある人の目には、このコードがはっきりと映ります。また、直感が鋭い人なら、その存在がはっきりと感じられるでしょう。

エーテルコードの外見は外科処置で体に通すゴム管に似ており、ガソリンのホースのような働きをします。何かに飢えた人があなたとつながりを持つと、あなたのエネルギーがエーテルコードを通じてその人に吸われてしまいます。あなたの目には、まだ映らないかもしれません。しかし、わけもないのに疲れたり、物悲しくなったりという悪影響は確実に感じるでしょう。それは、エーテルコードでつながった相手があなたのエネルギーを吸い上げ、毒に満ちたエネルギーを送り込んでいるのです。

それに加え、怒りに満ちた人とエーテルコードでつながってしまうと、燃えたぎるエネルギーが体の中に流れ込んできてしまうことになります。その結果、体中が鋭い痛みで覆われてしまいます。

誰かを癒したり、誰かに対するリーディングを行ったりした後、あるいは無気力な気分や物悲しさ、そして原因不明の疲労に襲われたときには、必ずエーテルコードを切ってください。世の中には、いつも怒っている人がいます。このような人々と関わりを持ったとき、あるいは体に鋭い痛みが走ったら、欠かさずに行いましょう。

エーテルコードを切るからといって、相手を拒否したり、捨てたり、あるいは目の前から去るわけではありません。その人との人間関係で機能不全を起こし、恐れに満ち、そして相互依存的な部分を取り除くだけです。その人との関係にも、愛すべき部分はあるはずです。そこは残るので、心配は要りません。

エーテルコードを切るためには、次の言葉を唱えてください。口に出して言っても、頭の中で思い浮かべるだけでもかまいません。

大天使ミカエル、すぐに私のそばに来てください。私のエネルギーと活力を吸い上げる恐れに満ちたコードを切ってください。ありがとう。

そのまま少し黙って待ちます。深い呼吸を続けることを忘れないでください。深く吸い込む息と、長く吐き出す息によって脳が開き、天使の助けを受け容れやすくなります。コードが切られたり、体から抜かれたりする感覚があるかもしれません。空気圧の変化をはじめとする現象がしるしとして送られることもあるでしょう。

コードでつながっている人は、それが切られるとき、無意識のうちにあなたのことを考えるはずです。「何してる？」と尋ねるだけの電話やメールがあるかもしれません。だまされてはいけません。あなたは、彼らのエネルギー源ではありません。その役割を担っているのは神です。エーテルコードは、一度切ればそれで終わりというわけではありません。恐れの感情で満ちたコードで誰かとつながってしまったのを実感したら、そのつど切る必要があります。

大天使ミカエルに頼めば、ほかの人同士をつないでいるエーテルコードを切ることもできます。あなた自身がコードの存在に気付くこともあるでしょう（心の眼で見たり、手をかざしたりすれば、コードがあるかどうかがわかります）。

エーテルコードを切るのを拒否されることがあるかもしれません。根強い怒りの感情が復讐心をあおり、負のエネルギーでつながったままの状態が続いてしまいます。こうした場合、大天使ミカエルでもコードを切ることはできなくなります。

こうした場合は、クライアントが自分でコードを切らなければなりません。方法をよく説明し、段階ごとに進めてください。コードをひとつひとつ明らかにしていく過程で、誰とつながっているかがわかるはずです。一般的な印象(例「このコードは男性とつながっているだろう」)から始まり、より詳しい部分（例「このコードはクライアントの父親とつながっている」）について理解できるようになります。コードの感じ方はどんなものでも問題ありません。あなたが受ける印象をそのままクライアントに伝えてください。

次に、クライアントに向かってこう言いましょう。

「深い呼吸を繰り返し、（相手の名前）にまつわる毒気に満ちた古いエネルギーをすべて解き放つ気持ちを作ってください。安らぎと健康、そして幸福が得られるように、自ら進んでデトックスする気持ちになりましょう」

古い怒りの感情を解き放とうとしているクライアントに力を貸してください。時間がかかることもありますが、最終的にはすべての人が許しの心を持つことになります。クライアントが怒りの感情を吐き出すのを手伝うあなたは、クライアントを正しい方向へと優しく、そして忍耐強く導く羊飼いなのです。

中毒症状のコード

この項目で紹介するのは、やめたいのにやめられないものに対する渇望を抑え、断ち切るのに効果的な方法です。中毒性が高い物質だけではありません。破壊行動にも効きます。有名な「12ステッププログラム」など、ほかの種類の回復プログラムと併用することもできます。次の文章を大きな声で読んでください。

あなたが解き放とうとしているすべての中毒症状を思い浮かべることから始めましょう（本当にやめようと思っていないと効果はありません）。やめようと思っていることがいくつもあるときは、好きなだけ選んで、まとめて解き放ちましょう。

次に、中毒症状の対象物、あるいはあなたが現在置かれている状況の象徴となるものを思い浮かべ、それが膝の上に乗っているところをイメージします。膝の上に乗っているものからは無数のコードが生えていて、その一本一本があなたの体とつながっています。接合部分が集中しているのは、おへその周りです。これが、恐れの連結です。あなたに中毒症状の必要性を感じさせているものにほかなりません。

大天使ミカエルとラファエルに声をかけ、コードを消して、中毒症状を天国まで持って行って、癒し、変容してくれるよう頼んでください。ゆっくりした呼吸を続け、依存する気持ちを完全に解き放つ意志を持ち続けてください。なければ生きていけないと思っていたものから解放される素晴らしい感覚を自分に刻み込んでください。この決断によってもたらされる時間とエネルギー、お金、そして自信について考えてみましょう。

解放感を思う存分味わったら、大天使ラファエルがコードの断面にエメラルドグリーンの光を当てます。この光を深く吸い込み、癒しのエネルギーで体を満たしましょう。あなたが求めてやまなかったのは、ラファエルの癒しの光です。ラファエルの光は、神の愛と光にほかなりません。あなたが欲していたものが、ようやく手に入りました。あなたは、代用品で満足していたにすぎません。ラファエルの癒しのエネルギーを思う存分浴びてください。枯れることは決してありません。恐れの感情から生まれた過去の虚無感はなくなり、あなたは今完全に安らいでいます。癒しを与えてくれたラファエルとミカエルに、お礼を言ってください。

バキューミング

誰かを心配したり、不幸な目に遭っている人々を見て自分を責めたり、感情的に打ちのめされている人に対してマッサージを施したりするときには、救いの手を差し伸べているつもりで、その人が宿す負のエネルギーを誤った方法で導いてしまっているかもしれません。これは誰もがしてしまうことであり、他者を助けることを常に考えるライトワーカーなら、なおさらです。ただし、実害を被るのもライトワーカー自身です。天使たちは、自らが担う役割を果たすライトワーカーにさまざまな形で協力しますが、心身のバランスを整えるための〝バキューミング〟もそのひとつです。天使はほかの人々を助けるライトワーカーの姿を見て喜びますが、その過程で、助ける側に立つ人間が傷ついてしまっては意味がありません。天使を含め、さまざまな形で差し伸べられる救いの手を積極的に受け容れるべきでしょう。ライトワーカーは人を助けるのを得意としますが、助けてもらうのは苦手というのが事実です。次に、与えることと受け容れることのバランスを整える方法を紹介します。

これは、天使の助けを借りながら、要らないものを自分の体から吸い出す方法です。まず、次のような言葉を頭に思い浮かべてください。大天使ミカエル、私のそばに来て、私の体の中でわだかまる恐れの効果を浄化し、吸い出してください。しばらくすると、大きな体をしたものが現れるのが見えたり、感じられたりするはずです。これが大天使ミカエルです。ミカエルは、〝慈悲の軍団〟と呼ばれる天使のグループを引き連れています。

ミカエルが、掃除機のホースのようなものを手にしていることに気づいてください。そしてあなたの頭頂部（クラウンチャクラがある場所です）にホースの先を付けます。ここで、〝吸引力〟の強さを決めるのはあなた自身です。負のエネルギーが特に多く溜まってしまっている場所を示すのもあなたの役割です。頭の中、体の内側、臓器の周囲など、頭からつま先まですべての場所から負のエネルギーを吸い取ってもらいましょう。

体外に吸い出される霊的な汚れがホースを透き通って見

えるかもしれません。あなたから吸い出されたものは、〝慈悲の軍団〟が優しく扱い、神の光へと導きます。吸い出されるものがなくなるのを確認してください。

体内が浄化されたら、今度はホースから緑の光が流れ込んできます。これは、言ってみれば目止めの役割を果たすもので、それまで負のエネルギーが占めていた空間を満たしてくれます。

バキューミングは、私自身がこれまで試した中で最も強力な方法のひとつです。もちろん、ほかの人に対しても行うことができます。その場で一緒に行っても、遠隔的に行っても効果に変わりはありません。バキューミングをする相手に意識を集中させて、直接参加しているという気持ちを作ればそれで十分です。何も見えなくても、感じなくても気にしないでください。自分の想像の産物かもしれないという疑いが生まれるかもしれませんが、そのまま続けてください。結果は目に見える形となって現れます。ほとんどの人は、バキューミングが終わると同時に沈んだ気分や怒りが消えるのを自覚します。

負のエネルギーを吸い出すホースを常に頭上に置いておくことも可能です。あるいは、家や仕事場など、好きな置き場所を選ぶこともできます。ホースを身近に置いておけば、プールの浄水器のように自動フィルターの役割を果たしてくれ、負のエネルギーとは無関係の毎日を過ごせるでしょう。

サイキックアタックのエネルギーを消す

自分自身やほかの人に怒りの感情を向けるとき、体から毒気に満ちたエネルギーが発散され、怒りの対象に流れ込みます。この種のエネルギーによって、肉体的な痛みが生じることもあります。このような状態を〝サイキックアタック〟と呼びます。意図的に行われることもあれば、まったく意識がないまま自分やほかの人を傷つけてしまうこともあります。

有毒なエネルギーを取り除くためには、まず大天使ミカエルとラファエルに来てもらってください。そしてうつぶせになるか、椅子に浅く座り、背筋を伸ばして、背もたれに触れない姿勢になってください。次に紹介する文章を読み上げれば、あなた自身やほかの人のためになる瞑想を行うことができます。

深い呼吸を続けながら、古い怒りの感情を解き放つ気持ちを作りましょう。怒りのエネルギーは背中、両肩、首などから出ていきます。呼吸を続けながら、エネルギーを目に映し、感じるようにしましょう（怒りのエネルギーは短剣や矢、その他攻撃のために使う道具の形をしています）。

こうしたエネルギーを送ってきたのが誰かを知るのは難しくありません。相手がはっきりしたら、その人に対して思いやりを持つよう努力しましょう。反撃しようと思ってはいけません。自分と相手両方に癒しの光をもたらしてくれるよう天使に頼みましょう。天使の助けを借りれば、延々と続く攻撃のサイクルに終止符を打つことができます。深くゆっくりとした呼吸を続け、古いエネルギーが体の外に出て行くのを感じてください。天使がエネルギーを抜き取るたびに、寒気やふるえを感じるかもしれません。

安らぎと穏やかさを感じたら、あなたのすぐ隣でひざまずいている大天使ラファエルの姿が見えるでしょう。ラファエルは、あなたの体の内外をエメラルドグリーンの光で満たします。この光が、霊的な武器で作られた傷を癒し、肉体に本来宿っている完全性を取り戻し、自然な姿にします。大天使ミカエルは、紫色の光であなたを包み込み、低いエネルギーから守ってくれます。これであなたは浄化され、守られています。

前世に立てた誓い

あなたは、前世を宗教的な大志を抱く人（尼僧や修道士）として過ごしたかもしれません。こうした人が誓いを立てるのは普通です。中でも多いのは、苦行や自己犠牲、清貧、禁欲、服従、そして沈黙などです。前世で立てた誓いが達成されなかった場合、新しい肉体に生まれ変わってもついてくることがあります。そして恋愛や性生活、経済面をはじめとする人生のさまざまな部分に障害が出てしまうのです。自ら意図的に破棄しない限り、前世の誓いから逃れられる人はいません。今の肉体で生きている間に立てる誓いは問題ありません。自分自身の意図が介在するからです。ただし、定期的に見直して、誓いの効力が失われていないかを確認する必要があります。

前世に立てた誓いと、その効果を解き放つには、前世の痕跡を癒す能力がある大天使ラジエルを呼んで助けてもらってください。そして自分自身のため、あるいはほかの人のために、次のような言葉のアファメーションを行ってください。

大天使ラジエル、あなたの助けが必要です。私は今、苦しみ、自己犠牲、天罰に関して私自身が前世に立てたかもしれないすべての誓いを、時間の流れの方向性に関係なく断ち切ります。誓いの内容にまつわるすべての負の効果を、今から永遠に破棄します。

ほかの誓い（清貧、禁欲など）に対しても、同じ文章を使って解き放ってください。

天使、そして大天使はさまざまな種類の癒しを示し、導いてくれます。この章で紹介した方法にも修正を加え、あなたに最も適した方法を提案してくれるでしょう。直感という形で送られるメッセージを信頼してください。天界は、あなたが自分の自然治癒能力に自信を持つのを期待しているのです。

第13章

ライトワーカーと
人生の目的

Angel Therapy

よくあるこの質問「スピリチュアルな職業で、家族を養っていけるでしょうか？」（最初に言ってしまいますが、答えは絶対に〝イエス〟です）について深く考える前に、背景について少し語っておくことにしましょう。

まず、言っておきたいことがあります。私は、すべての人がそれぞれ目的を持って生まれ、生きていると信じています。目的とは、肉体を持って生きる間に学ぶことを合意した事柄にほかなりません。学びの対象は忍耐や許しの心、思いやり、バランス、自己管理、品位などさまざまです。すべての人が、魂を成長させるための学びに取り組んでいます。

個人的な役割に加え、〝地球的役割〟を担うことに合意した人もいます。人や動物、そして環境を助けること、あるいは自分には直接関係しない理由であることも考えられます。すべての人が地球的役割を担っているわけではありません。自分の個人的な成長のためだけに地球に生まれた人もいます。

地球的役割を担って生まれてきた人々は、〝ライトワーカー〟と呼ばれます。私はこの言葉を〝インディゴ〟や〝クリスタル〟、そして〝アースエンジェル〟など意味が良く似た言葉を包括するニュアンスで使っています。

人を助けたいという気持ちが特別に強く、世界に大きな関心を抱く人は、すべてライトワーカーです。ライトワーカーのもとには、助けを必要とする人が多く集まってきます。ほかの人が発するエネルギーを吸収し、ほかの人の気分に左右されてしまうので、自分の敏感さに戸惑うライトワーカーもいるでしょう。でも、恐れないでください。後でシールディング（バリアを張ること）と、その他のエネルギー防御法については、後に詳しく触れていきます。

ライトワーカーであるあなたは、常に目的意識を持ち続けていたにちがいありません。今の人生で、とても大切な何かを成し遂げる運命を漠然と感じることもあったでしょう。自分の運命がもたらすものについて、はっきりとしたことはわからないかもしれません。しかし、とても大切な何かを感じ取ることはできるはずです。これは、すべてのライトワーカーに共通する感覚です。

人生の目的を、一刻も早く成し遂げなければならないと焦りを感じるライトワーカーもいます。心の奥底に目覚まし時計があって、それが時を刻んでいる感じです。その音が、世界をより良い場所にしようという気持ちをさらにせきたてます。さあ､早く。もっと早く。世界中のライトワーカーが、同じ思いを共有しています。

素晴らしい事実をお知らせしておきます。ライトワーカーであるあなたは、これまでの人生において前向きな変化を起こし続けてきました。あなたは、ほかの人に安らぎをもたらす癒しのエネルギーを発し、行く先々で平和の種をまいてきました。こうした生き方をしてきた理由は、あなたが担う地球的目的が〝愛〟だからです。あなたは、愛に満ちた行いをごく自然にできる人です。ほかの人々を気にかけ、大切に思い、すべての人の幸せと健康、そしてすべての人が必要なものをすべて手に入れられるよう願い続けます。あなたは、多くのものを与えてきました。

聖なる愛を広げている限り、こなしている役割の形態は二義的なものでしかありません。言葉を変えましょう。スピリチュアリティーについて伝えること、あるいは癒すことを仕事として考え始めたときから、職業の種類はそれほど大切ではありません。レイキ、エンジェルセラピー、ミディアムシップ（霊媒術)。何を実践し、何を教えていても、愛するという気持ちから生まれる奉仕であることが大切であり、ほかの部分は瑣末な問題でしかありません。

この事実を心に刻み込んで、次の段階へ進みましょう。スピリチュアリティーと一口に言っても、方法論はさまざまです。自分が選んだ分野とは長い間かかわっていくことになるので、気持ちが高揚し、本当の興味をいつまでも持ち続けることができるものを選んでください。ほかの人が物質的な成功を収めているからといって、それを理由に選ぶのは賢明ではありません。

教えること、癒す方法はたくさんありますが、選ぶものが何であれ、心から愛してください。頭が切れるライトワーカーが次々に優れたビジネスモデルを創り上げ、次々と成功したとしても、頭だけ働かせて心がこもっていなければ、次から次へと障害に見舞われてしまうでしょう。先を見通して周到な計画を立てることも有益ですが、最終的には心の声に従ってください。

スピリチュアリティーを基にした仕事では、感覚と直感が地図代わりになります。頭で考えるのは二義的な行為であり、すべてを司るのは心です。

あなたはどんなことに興味がありますか？　論理的な答えは期待していません。自分のハイヤーセルフに尋ねてみましょう。

静かな場所で、心と体をリラックスさせましょう。体を横たえても、座ってもかまいません。できれば両目を閉じ、自分にとって理想の仕事をイメージしましょう。思い浮かぶのは、どんな光景ですか？　どんな思いが生まれますか？　感覚はどうでしょう？　ひとりで働いていますか？　あるいは同僚と一緒の職場にいますか？ 自宅で仕事をしていますか？　それとも、ヒーリングセンターのような場所ですか？ どのような生徒、あるいはクライアントがいますか？ その仕事について、どのように感じますか？

理想的な仕事についてイメージしながら、温かさと満足感に意識を向けてください。そこで浮かぶ感覚が、究極の報酬です。これ以上ない満足を感じるあなたには、引き寄せの法則によって、物質的な利益ももたらされます。

信念と自信

スピリチュアル・ティーチャーあるいはヒーラーとして

生計を立てていきたいと思っている人は多いでしょう。こうした生活は夢のように思えるかもしれませんが、実際は夢以上のリアリティーがあるのです。それは夢ではなく、〝しるし〟です。自分にとって大きな意味がある仕事で家族を養っていけるだけの収入を得て、自分に関わる人すべてを感情的にも精神的にも支えていく具体的なイメージを思い描き続けていれば、それはやがてしるしになります。

夢見るだけでは不十分です。どんな想いにも行いが伴わなければなりません。ただしこれは、簡単ではありません。すべてが揃っていれば、あなたはすでに最初の一歩を踏み出しているはずです。

ライトワーカーは、本質的に敏感です。たまたま足を踏み入れた部屋のエネルギーも受け容れてしまいます。同じ場にいる人の気分や感情から、化学物質や汚染、そして騒音といった環境的な要因にも簡単に同調してしまいます。そしてもちろん、天使の存在に対してはきわめて敏感です。

他人の意見に敏感であることもライトワーカーの特徴です。この敏感さこそが、ライトワーカーにとって贈りものであり、場合によっては命を救われることになる本能なのです。人間の本質は、一生を通じてそう変わるものではありません。ライトワーカーとして生まれた人々は、一生をライトワーカーとして過ごします。

おそらくあなたは、前世とその前の人生でもスピリチュアリティーについて教えていたかもしれません。司祭や女性祭司、寺院に仕える人、尼僧や修道士、錬金術師、魔法使い、予言者、書記官、天文学者、あるいはその他の奥義を伝える人やヒーラーだったかもしれません（ここで挙げたすべてを体験した人もいるでしょう）。

地球にライトワーカーがいなかった時代はありません。ただし彼らが、尊敬を持って扱われていたかと言えば、決してそうではありません。暗黒時代における魔女狩りや異端審問の逸話は数え切れないほど存在します（物質主義的思想と、「手で触れられないものは信じられない」というメンタリティーが圧倒的で、それ以外のものがすべて排除された不幸な時代もありました）。

疫病の蔓延や不作など、凶事がすべてライトワーカーのせいにされるのもごく普通でした。人々も政府も教会も、こぞってライトワーカーを非難したのです。何とか生き延びて糾弾をかわすため、ライトワーカーは人々の賛意と反意に対する感覚を過剰なまでに研ぎ澄まし、進化させました（すべての人に幸せになってほしかったのです）。

健康な自己主張の育み方と、他者との境界線については後で詳しく触れていくことにしましょう。現時点で大切なのは、〝人を喜ばせる〟という言葉でも形容できるあなたの自然な傾向を認めることです。ただし私は、ライトワーカーのこうした部分は、本能として持っている生き残りの技術だと思います。そしてこうした技術が、霊能力の背景にある敏感さと一体化するのです。

こうした資質は、ライトワーカーとしての性格とも密接に関係します。〝気味が悪い〟とか、〝奇妙〟とか、〝敏感すぎる〟と言われてきた人は、昔の時代ほどひどくはないものの、長い歴史で多くのライトワーカーが強いられてきた疎外感に似た感覚を味わってきたはずです。ライトワーカーが孤立しがちな理由は、まさにこれなのです。森の中にたった一人で住んでいる魔法使い、と言ったイメージがふさわしいでしょうか。

それでも現代社会では、完全に孤立した状態で生きることはできません。ほとんどの人が、必要性と感情面から他人と一緒に働かざるをえないでしょう。同僚とうまく付き合っていくのが苦手な人は、社会適合も労働も、辛い環境の中でこなしていることでしょう。スピリチュアリティーに直結する仕事に就けば、これまでに感じたことのない安らぎを得られるはずです。あなたの周囲にいるのは、あなたと同じように敏感で、優しい人たちばかりです。

スピリチュアリティーに関するカムアウト

多くのライトワーカーは、ヒーラーであっても教師であっても、公共の場で活動することに躊躇します。からかわれたり、拒否されたり、あるいは排斥されたりすることに恐れを感じているからです。私を見て、人はどう思うだろうか？　他人の目を気にしないライトワーカーはいません。自分の家族が伝統的で保守的な宗教観を持つ人々である場合は、なおさらです。

自分の本当の信念を包み隠さずすべて他人に明らかにする、私はこの過程を〝スピリチュアル・カムアウト〟と呼んでいます。スピリチュアリティーや宗教についての議論は無駄かもしれません。恐れや怒りを通じて人の考えを変えることはできないからです。その代わりに、カムアウトの過程を少しずつ、そして自然な形で進めていくほうがいいでしょう。ごく最近読んだスピリチュアリティーの本について語り、それをきっかけにして話を広げていくのもいいでしょう。

頼まれない限り、あえて家族や友人に対してスピリチュアリティーを語るべきではないでしょう。これは覚えておいたほうがいいかもしれません。家族というグループで一緒に過ごす人々は、一生を通じてお互いが平和的に機能することを通じ、精神的成長を遂げていきます。

スピリチュアリティーに関わる仕事を通じて名を知られるようになると、あなたを判断し、批判する人が必ず出てきます。スピリチュアリティーは、意固地な人が特に口を出したくなる話題のようです。

私には、こうした事実を受け容れる方法があります。常にスポットライトを浴びている人でも、世界中の人々から愛され、受け容れられているわけではないという事実を思い出すのです。どんな有名人でも、中傷や迫害から逃れることはできません。

自分と自分の仕事をすべての人に愛してもらおうという気持ちは現実的ではありません。あなたと共にあるべき人は近寄ってくるでしょう。残りについては忘れるのが一番です。批判や判断をする人には許しの心で接しましょう。彼らは、自らに課された人生の目的のために時間を使うことを恐れているのです（人生の目的に取り組んでいるのなら、他人を批判している時間などないはずです）。こうした人々に思いやりを感じれば、言葉のとげとげしさも気にならなくなります。

ここでも、引き寄せの法則が働きます。恐れれば恐れるほど、多くの批判や判断が集まってしまいます。

私を判断するあなたは、一本の指を私に向けている。
そうするあなたは、三本の指を自分に向けている。

私は、アルコール・アノニマス（アルコール中毒更生会）のミーティングで使われるこの言葉が大好きです。この言葉は、判断の一部である投影を雄弁に語っていると思います。

あなたが私に見出すのは、あなたが自分で気付いているあなた自身の一部だ。

私の一番の愛読書は『ア・コース・イン・ミラクルズ』です。この本によれば、恐れの感情を基盤とするエゴは、自覚している意識から隠れようとします。私たち人間は、自覚している意識に暗闇を見るのはいやなので、その暗闇を外側に向け、他人の中に投影します。何年も前、こうした過程を浄化するためのアファメーションを天使が教えてくれました。誰かに対して怒りを感じたときは、こう言ってみてください。

私は、あなたのことを思うと苛立つ私の一部分を解き放つことにする。

『ア・コース・イン・ミラクルズ』にも、罪の意識が負の経験を呼び寄せる事実が記されています。罪の意識は、常に罰を求めます。スピリチュアリティーと深く関わる仕事に就くことを決心したときから、ワクワクする気持ちと誠実さを忘れないようにしてください。人に隠れてすることを、知られないまま保っておけるとは思わないでください。何事も隠してはいません。隠そうとする気持ちが、健やかではないエネルギーのさざなみを生んでしまいます。そしてこのさざなみは、あなたが最も恐れること―見つかってしまう―を呼び寄せるのです。隠そうとする代わりに、自分なりのやり方でものごとを進め、引き寄せの法則を信じてください。きっとあなたにぴったりの生徒や聴衆、そしてクライアントが集まってきます。

ひとつ覚えておいてほしいことがあります。それは、あなたがすでにヒーラーでありスピリチュアル・ティーチャーであるという事実です。あなたはそういう役割を持って生まれ、これまで生きてきた時間を使って技術を磨いてきました。

たとえば、なぜか見知らぬ人々から人生相談を持ちかけられる人は、意識していてもしていなくても、人々に癒しの手を向けていたのです。そして、女友達から次から次へと人生の危機を打ち明けられていたら、すでにスピリチュアル・ヒーラー、そして教師として彼女たちを癒し、アドバイスを与えてきているのです。これからは、自分が持っている技術で報酬を得て、それで暮らしていきましょう。

こういう言葉遣いが気に障ったなら謝ります。でも、自分の技術で報酬を得ることには何の問題もありません。自分の役割を果たす上でも大切なことです。

ヒーラー、そしてスピリチュアル・ティーチャーであるためには、報酬を得なければなりません。そうでなければ、生活の糧を得る手段にすぎない仕事を辞めることもできなくなってしまいます。

納得できない人もいるでしょう。理由についてもう少し詳しく考えていきましょう。すべてについて納得できないのは、癒されていない状態と同じです。スピリチュアルな仕事に就くまでの過程において大きな妨げとなりかねません。

最初にお尋ねしたいことがあります。スピリチュアリティーから生まれる行いで報酬を得ることをどう思いますか？　利他主義の理想的な形を思い描き、神が与えてくれたものはほかの人々と分かち合うべきであるという考え方も理解できます。ほかに収入源があって、さらにスピリチュアリティーを思うように追求できる生活を維持できるなら、それは素晴らしいことです。導きに従って、持てる才能をすべて、できるだけ多くの人々に分け与えてあげてください。

ボランティア活動や無償奉仕が、精神的成長の基盤となることは事実です。私が初めて就いた職業は病院のカウンセラーでしたが、その前に数ヶ月ボランティア活動をしていました。自分の時間をボランティア活動に割くということにも、実質的な利益があります。

スピリチュアルな行いで報酬を得ることに嫌悪感を覚える人は、前世の記憶の影響を受けている可能性が否めません。おそらく、ラマ教やキリスト教の修道院で暮らしていた時代があったはずです。修道院の生活では住む場所と食べ物が保証されるので、収入を心配することなく、精神的成長に集中することができたでしょう。

しかし現代社会では、生活費がどうしても必要となります。生活の形態も共同体ではありません。公共料金や住宅ローン、そして食料品を買うためのお金がなければどうしようもありません。何も職を持たないで暮らしている人はいないはずです。ここでお尋ねしたいのは、あなたが今の仕事を心から愛しているかということです。

私は、すべての人が、自分にもほかの人々にも喜びをもたらす仕事を見つけられると信じています。私たち一人ひとりが、自分にとって意味があり、やりがいを感じられる仕事に就けるようになっているのです。仕事を愛することができれば、ほかのすべての要素（報酬など）は収まるべきところに収まります。

心から愛してやまないものを職業にしたとき、意識は収入以外のものに向きます。やる気を起こさせるのは、仕事に対する愛情です。しかし、それでも収入はきちんとついてきます。それが自然なギブ・アンド・テイクの秩序です。

1996年にエンジェルセラピー・プラクティショナーの養成コースで教え始めてから、多くの修了生が仕事をする姿を見てきましたが、スピリチュアリティーに関する仕事に対する態度として、次に紹介する3つのパターンが存在することがわかりました。

パターン①頭ばかり使って、心が伴わない

競馬のように倍率と払戻金だけを考えながら、仕事としてスピリチュアリティーをとらえるビジネスマンタイプの人がいます。こうした人々は大金を使って広告を制作し、きらびやかなホテルの大広間を借りてイベントを行いますが、肝心の参加者はそれほど集まりません。なぜこんなことが起きるのでしょうか？

生徒やクライアントとなる可能性がある人たちは、想像以上に敏感です。ワークショップやヒーリングセッションの背景にある意図を、しっかり感じ取ることができるのです。富と名声を第一目的とするような人には、誰も惹かれません。もちろん、スピリチュアルな技術で報酬を得ることには何の問題もありません。でも、報酬を得ることが第一の焦点とはなりえません。ヒーラーとしての仕事が軌道に乗るまでの間の収入を確保したいなら、今の仕事をしばらく続けるか、あるいはアルバイトをしながら、時間をか

けて徐々に自営に移行していくのがいいでしょう。

パターン②気弱になって踏み出せない

最初の項目と正反対に思えるかもしれません。でも、どちらも恐れの感情にとらわれている点ではまったく同じです。最初の項目で紹介したのは、心の奥底では自分の直感を信じられず、願望を理解していないからこそ頭ばかり使って決断を下そうとする態度です。エゴによってあおられた競争心にも駆り立てられている状態かもしれません。直感を信じ、自分が選んだ道への一歩を踏み出せない人たちは、自分に自信が持てず、持てたとしてもあまりにも低く、あるいは決断力が決定的に欠如しています。誤った動きや決断をしてしまうことを必要以上に恐れてしまうのです。

ただし、ほとんど知られていない遍在の法則—行動の法則—があります。そしてこの法則は、絶え間なく働いています。行動の法則は、目的に向けて起こすいかなる行いに対しても（どんなに小さなものでもかまいません）、それに呼応した森羅万象が、あなたの必要とするものをもたらし、目的の達成を助けてくれるのです。

スピリチュアリティーを仕事にしたいという夢を持っているなら、とにかく行動しましょう。行動するのは、今この瞬間しかありません。過程や考え方については、後に詳しく述べていきます。

パターン③導きに従って行動する

行動に信念と勇気が必要なことは言うまでもありません。だからこそ、この項目では〝導きに従った行動〟という言葉を使いました。これは、直感に従うことにほかなりません。

私が大好きな作家、シェルドン・コップが次のように言っています。

十分に準備できたのを確認してから、思い切りが必要な仕事にとりかかったことは一度もない。

エゴは、何かともっともらしい理由をつけてあなたを欺き、準備ができていないと思い込ませようとします。コップの言葉は、エゴの本質を雄弁に語っていると思います。エゴは、準備ができていないと感じるのは、準備ができていないのと同じことだと伝えてくるでしょう。

エゴはまた、〝なりすまし現象〟という手を使って、スピリチュアルな仕事に就くだけの資質を持ち合わせていない、能力は偽物だ、あるいはあなた自身が詐欺師であると訴えてきます。この現象は、特に知的な人々、そして成功者の間で目立ちます。何か価値があるものを得るためには、苦しみに耐え抜き、必死になって働かなければならないという考え方に基づくものですが、こうした概念はえてして古いエネルギーから生まれます。ものごとが簡単にできてしまうと（頭の良い人々なら普通でしょう）、エゴがすかさず声をあげ、簡単に得られるのは偽物か無価値なものしかないと訴えます。こうした感覚が真実ではないことが理解できれば、二度と悩まされることはありません。

エンジェルセラピー・プラクティショナー・コースに、とある女性が参加してくれました。彼女は、コースを修了したらすぐに、エンジェルリーディングだけで生計を立てていこうという明らかな意図を最初から持っていました。コースに参加する前からオフィスを借り、名刺も印刷して準備していました。そしてコース終了後に仕事を始めたところ、わずかな期間で軌道に乗りました。彼女は自分の直感に従い、導かれるままを実行したのです。

仕事のヒントにお金を使う人はたくさんいます。しかし、仕事に関する最も大切な導きを得るのにお金はかかりません。仕事に必要なすべてを教えてくれるのは、あなたの直感です。ひとりで過ごす時間を毎日作ってください。直感に耳を傾け、与えられたヒントを基に行動してください。直感は最高のビジネスパートナーなのです。

与えることも受け取ることも大切

リーディングやカウンセリングをしたり、ワークショップを開催したり、いかなる形でもほかの人を助けることに携わるときには、報酬を受け取るのが正しいと思ってください。与えることと受け取ることは、同じくらい大切なエネルギーであり、バランスの取れた生き方をするためにはどちらも欠かせません。

ライトワーカーは与え、人の世話をするという役割を生まれながらにして担っています。役割は魂と本能、そしてＤＮＡに刷り込まれていて、それゆえほかの人々がより幸せに、より健やかに感じられるよう助ける気持ちが生まれます。こうした気持ちを妨げたり、押しとどめたりしようと思う人はいないでしょう。

ただし、与えることと受け取ることにまったく同じ価値があるという事実を知ることがとても大切です。受け取ることを躊躇する理由は、次に示すようなものではないでしょうか。

＝義務感＝

「何かもらったら、借りができてしまう」

＝必要性＝

「私が与える側にある限り、私は必要とされる。ただしあなたから何かもらえば、私があなたを必要としてしまう」

＝制御不能＝

「私は自分を律し、行動も抑えることができる。でも、私に与えようとするあなたを管理することは不可能だ」

＝罪の意識＝

「私には、あなたから何かを与えてもらえるような価値はない」

＝受動攻撃性＝

「私を喜ばせるという満足感をあなたに与えたくない」

ここで紹介した項目（普通は意識下にあるものです）はすべてエゴから生まれる感情や恐れであり、前世を使用人や奴隷として過ごしたり、何らかの制約を課されたりして生きていた記憶が原因である場合もあります。ただし、普通はエゴの声に心を奪われてしまうことで、こうした妨げが生じます。エゴは恐れでしかなく、何とかしてあなたの聖なる本質と人生における役割から意識をそらせようと試みます。エゴはあなた、そしてほかの人々を、恐れと不安によって占められる場所に追い込もうとします。それがエゴの存在理由です。

幸いにして、エゴの声に耳を傾けるべき理由は一切ありません。ハイヤーセルフが、あなたの思い描くとおりの形でスピリチュアリティーを実行に移してくれるからです。あなたのハイヤーセルフは、尊敬すべきスピリチュアリティーの師であり、ヒーラーであり、そしてライトワーカーです。

あなたは、晴れた日の陽の光を受けるプリズムのように、ハイヤーセルフを通じて純粋な形の聖なる愛、英知、そして創造性を表現するのです。

もしあなたが、与えるばかりで受け取ることを許さなかったら、いずれ燃え尽き、疲れ果ててしまうでしょう。そして、怒りの感情も生まれるはずです。心の奥底で、ほかの人々があなたの望むものに気づき、満たしてくれるのを願ってしまうからです。こうした関係は、正しくありません。あなたは人々に向かい、自分にとって何が大切かをはっきりと知らせる必要があります。あなたが欲するものに対して無反応な人々の本質がわかったら、その関係は見直したほうがいいでしょう。

与えることは男性エネルギーで、受け取ることは女性エネルギーです。私の著書『ディバイン・マジック』（発行元：JMA・アソシエイツ）で記したように、バランスの取れた人生には双方のエネルギーが必要です。それに、受け容れることと女性エネルギーは霊的覚醒の基礎です。聖なるメッセージを聞くためには、受け容れる気持ちを作らなければなりません。そうでなければ、誰も聞いていないのに、自分だけで会話を続けるような状態に陥ってしまいます。

毎日少なくとも3回は与えることと受け取ることを練習してください。誰かに「お手伝いしましょうか？」と尋ねられたら、「お願いします」あるいは「ありがとう」と答えましょう。罪の意識などのとげとげしい感情は、すべて神と天使に渡してください。言葉をかけてきた人と関わりたくないという強い直感がある場合は例外です。直感には、必ず従ってください。

クライアント、あるいは生徒が報酬を渡してきたら、何かを手伝ってくれた人に対するのと同じように、「ありがとう」と答え、領収書を渡せばいいのです。報酬を受け取ることに関して感じる罪の意識やある種の不快感については、話さないでください。それについては、あなたを安心させ、癒すことができる神やガーディアンエンジェルとの対話にとっておきましょう。

自分が提供するサービスに対して報酬を得ることで、あなたは〝エネルギー交換〟を実践しています。与えることで消費したものが、報酬として受け取るもので補填されます。生徒やクライアントは、あなたが提供するサービスにさらに満足するでしょう。お互いに価値あるものを交換していることを理解しているからにほかなりません。

医師も看護師（あなたと同じ聖なる職業です）も報酬を受けます。癒しを生業とするあなたも、何の変わりもありません。

サービスに値段を付けることで、あなたは重要な方法で支えられることになります。受け取る報酬によって、あなたはより多くの時間を癒しと教えに費やすことできます。報酬を受け取らなければ、貴重な時間を割いてそれに見合う金額を得るために別の仕事をしなければなりません。その時間は、生徒やクライアント、そして神のために使うこともできるのです。

目の前に器を置き、小銭が投げ入れられるのを待っていた前世は、もう終わりました。あなたは、自分の仕事で報酬を得るのが当然のプロフェッショナルです。神が人を通じて祈りに答えるということを忘れてはなりません。あなたの仕事に対して報酬を支払いたいと思っている生徒、そしてクライアントもまた、あなたの祈りに対する神の答えにほかなりません。ただ「はい」そして「ありがとう」と言いながら、受け取ることを自分に許しましょう。

高い自尊心は、自信に等しい

最も早く自信と勇気を高める方法は、単刀直入に言えば、行いを正すことです。ごく最近の行いについて考えてみてください。良く思えないことがありませんか？　食生活や人間関係、仕事、自分や他人に正直であるか、そしてライフルタイル、あるいはその他の要因。思い出すとひるんでしまう行いはありませんか？　誰にも知られたくないことをしていませんか？　恥や罪の意識を感じることはありませんか？

こうした行いは、すべて自尊心を低めます。ひるがえって、あなたの自信も低くします。自信は、自分への信頼から生まれるものです。あなたは、自分との間に素晴らしい信頼に満ちた関係を構築しなければなりません。ほかの誰かの目を欺くことはできるかもしれませんが、あなたは自分で自分が決して好ましくない行いに手を染めていることを知っています。こんなことを続けていては、自分に対する信頼が低くなっていくばかりです。そしてやがては、あなたの自信と自尊心に大きな傷が与えられてしまうことになります。

自分に良くしてくれる人に愛情が湧くように、自分自身に対して真摯な態度で接することで、自分がより好きになります。

健やかではない行いや中毒症状を解き放つため、神や天使に助けを求めることもできます（特に癒しの大天使ラファエルと、勇気の大天使ミカエルがいいでしょう）。天界は、あなたが誘惑されないよう禁断症状を消したり、緩和したりしてくれます。

私たちは、自らを罰するため健やかではない行いをしてしまうことがあります。その背景には、潜在的な罪の意識があります。これはどうしようもないジレンマが生み出すもので、何とかしようともがく中で良くない行いを重ねてしまい、その過程でさらなる罪の意識が生まれる悪循環は、スピリチュアルな存在の助けを借りて断ち切ることができます。

健やかではない行いは、ものごとをぐずぐずと先延ばしする態度や、自分にとって大切なことや目標に向かって進むことを恐れてしまう人々の格好の言い訳となります。失敗への恐れは当然ありますが、成功に対して恐れを感じる人もいます。いずれにせよ、恐れは自信を奪い去り、心も体も麻痺するほどの迷いをもたらすものにほかなりません。私も同じことを経験しました。

やるべきことを先延ばしにし、いつまでもぐずぐずすることで心がかき乱されるので、わざと時間がかかることで無理やり忙しくしたり、中毒症状に陥ったりして自分を騙そうとします。私は、本を書こうと思い立ったとき、すべての過程を思い描いて、正直言って怖気づきました。恐れる気持ちを忘れ、いつも忙しくしていられるように、家事を完全にこなそうと思うようになりました。家の中をちりひとつない清潔な状態に保ち、文章を書くための時間を作ったのは、すべてを完璧にこなしたことを確認できた後でした。でも、完全に清潔な状態の家などありません。家事を完璧にこなすというのは、執筆を少しでも先延ばしするための〝完璧〟な言い訳でした。

ほかにもいろいろな手を使いました。過食（献立を考え、調理して食べた後、食器を洗うまでかなり時間がかかります）、時間が必要な人間関係、そしてワインです。ワインを飲むと酔ってしまい、エネルギーのレベルが下がるので、文章を書く状態ではなくなります。

もうひとつの手段は、とある女友達と電話で話をすることでした。彼女はアドバイスや導き、そして助けを本当に求めていたわけではありません。ただ自分が置かれた状況に関する愚痴を延々と話すだけです。しかし、書かない理由を彼女に求めていた私は、日に何時間も受話器を握り続けていました。

最初の頃は、あまりにも一方的な関係（彼女から「今日はどんな日だった？」と尋ねられたことさえありません）の性質と、あまりにも多くの時間を取られてしまうことに怒りを感じました。そしてある日、私は気付いたのです。彼女が私を利用しているのと同じくらい、私も彼女を利用し、依存していました。彼女は私を共鳴板として、私は彼女を〝書けない理由〟としてとらえていたのです。真実に気付いた直後、私たちの〝友情〟は泡のように消えました。

夢に向かって進むのと、未知の世界に踏み込むのは同じに感じられるかもしれません。ただし、自分にとって最も大切なことを表現する手段は行動しかありません。心の奥底にしまっておいた本当の願望を目の当たりにして、それを実践することに恐れを感じてしまうこともあるかもしれません。私にもよくわかります。

憧れを実現するために大した時間がかからない事実を知っていれば、恐れの気持ちもなくなるでしょう。一日に30分の時間と、夢を実現させるために行動する気持ちを作ってください。夢は驚くほど早く実現するはずです。夢見ることができるものは、実現できるものなのです。

MEMO

第14章

今すぐに起こすべき行動

Angel Therapy

ここまで語ってきたように、森羅万象は、夢に直結する行動に対してポジティブな答えをもたらしてくれます。一つひとつのステップは、大きくても小さくてもかまいません。森羅万象は、あなたが宿す意図に反応します。あなたの努力がそのまま、プロのヒーラーやスピリチュアル・ティーチャーになるという宣言になるのです。あなたが具体的な行動を起こすたび、森羅万象に美しい光が煌きます。それは信念と信頼、自信、そして水晶のように透き通った意図であり、新しい生命を創り出す力でもあります。

〝誤った〟行動をしてしまうのではないかという心配は要りません。あなたの行いはすべて重要で、すべてが前向きなエネルギーを宿しています。そして森羅万象は、思いがけないチャンスであなたを驚かせてくれるでしょう。すべてはあなたの意図と行いから始まるのです。

チャンスの扉は、いかなる行動によっても開かれます。自分の夢に関わる行いは毎日続けましょう。

直感の導きに従って行動することも大切です。直感は、あなたと神の遍在の英知を直接つなぐものにほかなりません。第六感や虫の知らせを無視して何かをして、あるいは何かをしないで後悔した経験はありませんか？　ほとんどの人は思い当たることがあると思います。願わくは、体験を通じて直感の大切さを刻みつけたいものです。失敗からは多くを学ぶことができます。何事に関しても後悔する必要などありません。

行動するときには、夢がどのような形で実現するか前もって決め付けないようにしてください。今という瞬間にすべての意識を集中させ、導きに従って行動するのです。結果や成果に関する恐れはすべて解き放ってください。森羅万象があなたのためにすべてを整え、望む結果をもたらしてくれることを信じましょう。

次に紹介するのは、起こすべき行動の例です。直感の導きに従って、一日にひとつかふたつ選んで実行してください。

◎就きたい仕事に関わる本や記事を読む
◎目指す分野の有名人（その分野での成功者）と会い、仕事について学び、励ましてもらう
◎大きな紙にあなたの夢と関係する言葉や絵、そして写真などを貼り付け、ビジョンボードを作る
◎文章を書く人々が集まるサークルに入るか、自分で作る
◎選んだ仕事で成功している自分の姿をイメージする
◎自分の記事や本のため、文章を一段落以上書く
◎エージェントや出版社、あるいは雑誌社に問い合わせの手紙を書く
◎自分が目指す分野の講座やセミナーに参加する
◎講演会について調べる
◎仕事に使うオフィスを見つけて借りる
◎名刺を作る
◎パンフレットを配る（パンフレットのデザインは印刷業者が手伝ってくれます）
◎救いと支え、そして導きが与えられるよう祈る

◎新しい情報が得られる場所を訪れる
◎人脈作りのためのグループに参加する

もちろん、すべきではないこともあります。私自身が苦労して身に付けたアドバイスも記しておきましょう。否定論者や懐疑主義者、あるいはネガティブな考えの人々と夢を共有してはいけません。こうした人々の批判精神が、あなたの情熱をすべて消し去ってしまいます。

あなたの夢は、生まれたばかりのハチドリのようなものです。あまりに壊れやすく、あまりにも尊いことを忘れてはいけません。胸の近くでそっと抱きしめ、あなたを支えてくれる愛すべき人々だけと分かち合うべきです。そして、自分の力で飛べるようになるまで抱き続けるのです。

あなたに最大の理解を示し、支えてくれる人であっても、夢を語るあなたを前にすると、嫉妬や脅威を感じるかもしれません。彼らもまた、彼らだけの夢を持っています。あなたは夢をひたむきに追いかけ、彼らがそうしていなかったとしたら、どうでしょう。不安を感じる人もいるはずです。
「あなたは夢を追いかけて成功し、私をおいていくの？」

こう思う人も少なくないでしょう。無意識のうちにあなたを妨害したいという気持ちが芽生えてしまうかもしれません。

今のところ、夢は自分の中だけに留めておきましょう。分かち合う相手は神、そして天使だけにしておくのです。そして十分に大きくなったところで、徐々に語りはじめればいいのです。ただ、まだ早すぎます。今は、ポジティブな思いや祈りの言葉、そして毎日の行いを通じ、静かに育んでください。

大天使が支えてくれること

大天使は、あなたが思い描く仕事にまつわるすべての側面を喜んで支えてくれるでしょう。次に、それぞれの大天使の役割を記しておきます。

＜アリエルの役割＞

環境や自然、動物に関係する仕事に興味を持っている人々を支えます。また、人生の目的を達成するため、日々の暮らしに必要なお金やその他のものをもたらしてくれます。

＜アズラエルの役割＞

グリーフカウンセリング（悲嘆に暮れる人々の心を癒す仕事）や、喪失感にとらわれている人々を導く仕事（病院、終末期ケア施設、カウンセリング・センターなど）をしている人と関わり、言葉と行いを通じて導きをもたらし、家族を亡くした人々を安らがせ、力を与えます。

＜チャミュエルの役割＞

〝発見の大天使〟であるチャミュエルは、あなたが探し求める仕事を手に入れるのを手伝ってくれます。心の安らぎを与えてくれるのもチャミュエルです。

＜ガブリエルの役割＞

メッセンジャーの大天使であるガブリエルは、教師やジャーナリスト、作家、そして子どもと関係する仕事に就く人々に救いの手を差し伸べます。文章を書くよう導きを与えられたら、ガブリエルが動機を与え、方向性を指し示してくれます。また、子どもを助ける職業に就きたい人は、ガブリエルに頼んで聖なる役割を与えてもらってください。

＜ハニエルの役割＞

優雅さの大天使は、面接やミーティングなど、人前での優雅さと言葉の明瞭さであなたを支えてくれます。

＜ジョフィエルの役割＞

美の大天使ジョフィエルは、あなたの仕事場に宿るエネルギーを浄化して高く清らかに保ち、仕事に対する前向きな気持ちを持たせてくれます。アーティストやクリエイティブな仕事、美容関係、風水に関連した職業に就いている人々をすべての面で支えます。

＜メタトロンの役割＞

若者やエネルギッシュな子どもたちを相手にする仕事に就いている人は、メタトロンが助けてくれるでしょう。十代の子どもたちに関わる仕事をしたいという人には、聖なる任務を与えてくれるでしょう。メタトロンは動機を与えるのが得意で、それと同時に最高のまとめ役でもあります。積極性が足りないと感じたときには、メタトロンに声をかけてください。

＜ミカエルの役割＞

大天使ミカエルは、人生の目的、そして仕事のための次のステップを見極めるのを手伝ってくれます。ミカエルに声をかける方法のひとつは、専門教育や仕事に関して最高の選択をする方法について尋ねる手紙を書くことです。ミカエルは最も声が大きな大天使のひとりなので、その声を耳にすることは難しくないでしょう。ミカエルが与えてくれる答えは、質問の横に書いておいてください。これが仕事に関するガイダンスの記録となります。

ミカエルの語り口は、要領を得ています。愛すべき大天使ですが、無遠慮なところがあります。こうした理由から、ミカエルは仕事を変えたり、より良くしたりしたいときに意見を尋ねるのに最高の大天使です。あなたをより良い仕事へと導き、自分の会社を立ち上げるのを助け、同僚や上司、そしてクライアントとの関係を支えてくれます。

ミカエルはまた、電子機器や機械の修理も得意です。コンピューターも車も、そしてファックスも、ミカエルに頼めばたちどころに直してくれるでしょう。

＜ラギュエルの役割＞

あなたの仕事がクライアントと同僚、そして仲介（たとえばマリッジカウンセリングなど）を含むものならば、大天使ラギュエルは意思の疎通に調和をもたらしてくれます。

＜ラファエルの役割＞

他人を癒す仕事に就いている人、あるいはヒーラーになりたいと思っている人を助けてくれる大天使です。癒しの天使として知られるラファエルは、すべての面について支えてくれるでしょう。あなたが最も楽しめる方法を選定し、専門教育に必要な学費を手に入れ、自分のヒーリングセンターを開設して運営し、最高のスタッフを見つけ出し、そしてヒーリングセッションでクライアントにとって最も有益な言葉や行いを提供できるようにしてくれます。

＜サンダルフォンの役割＞

サンダルフォンは芸術、特に音楽分野での仕事を助けてくれる大天使です。インスピレーションをもたらしてくれるミューズであり、あなたが進める創造的過程を導く教師となり、あなたが手がけた創造的なプロジェクトを世に出すための手段を見つけてくれます。

＜ウリエルの役割＞

光の大天使ウリエルは、あなたの心を賢明なアイデアで照らしてくれます。問題を解決し、ひらめきを得て、大切な会話をうまく進めるために、ウリエルに声をかけてください。

＜ザドキエルの役割＞

ザドキエルは、記憶力を高めてくれる大天使です。ものの名前や数字などの情報を暗記する必要がある学生を助けてくれます。

スピリチュアルな道に専念する

この項目では、スピリチュアル・ティーチャー、あるいはヒーラーとなるあなたの仕事の詳細を決めていきましょう。まずは、自分の得意な分野をはっきりとさせなければなりません。生徒やクライアントのため、何ができるのかを明らかに示しましょう。心配は要りません。方向性を決め付けて縛り付けようというわけではありません。じっくり時間をかけ、自分に一番合う分野を見つけてください。

まずは、趣味を考えてみましょう。空いた時間で楽しみたいときには、何をしますか？　趣味は仕事の基盤にはならないかもしれませんが、あなたの気性と好みを知るきっかけが得られます。次の項目について考えてみてください。

◎屋内と屋外、どちらが心地良く感じるか？

◎スピリチュアルな人（あるいはペット）と一対一の状況

が好きか、それとも、多くの人々と一緒にいるのが好きか？

◎前もってしっかりと計画を立てて行動するタイプか、それとも、自由な発想からものごとを創造するタイプか？

◎論理的事実と芸術性／創造性どちらを選ぶか？

◎上司の下で指導を受けるのが好きか、それとも自分で考えて進むのが好きか？

◎労働形態は、パートタイムかフルタイムか？

◎仕事であちこち飛び回るのが好きか、あるいは自宅でじっくりと仕事をこなしたいか？

◎福利厚生がしっかりした会社の一員として働きたいか、それともある程度は我慢するつもりでいるか？

◎頼りにできる安定収入と、働いただけの報酬を得る生活のどちらを選ぶか？

正直に答えてください。あなたがごく自然に選ぶものが、重要な要因となります。新しい仕事に適合するために、自分の考え方や好みを一新しようというのは現実的ではありません。スピリチュアル・ティーチャーやヒーラーへの道を歩んでいく過程では、自分が好きなことを最優先させ、嫌いなことは避けましょう。

新しい仕事に就くという過程に満足し、ワクワクすることが大切です。自分にとって心地良い環境を創り出すことで、大きな喜びを得ることができるでしょう。

あなたのテーマを見つける

さて、今のあなたは本や記事を書いたり、講演を行ったり、プロのヒーラーとしてやっていく心の準備ができたようですね。おめでとうございます。

次に私がお尋ねしたいのは「主題は何ですか？」あるいは「話の焦点を何に置きますか？」という質問です。

言葉を変えましょう。「私は教えたい」あるいは「私は書きたい」というだけでは不十分です。スタートとしては申し分ありませんが、何を教え、何を書きたいのかという質問が生まれるのはごく自然でしょう。

私にプレッシャーをかけられた気がして、この本を閉じてどこかへ行ってしまう前に、深い呼吸を繰り返してください。そして、もう少し私と一緒にいてください。すべて順調です。あなたならできます。

前述したように、ごく自然に自分が興味を持てるテーマを選ぶことが大切です。興味が知的興奮を生み、それが毎日を過ごす原動力となります。努力を集中させたものが気に入らなければ、すぐにやめましょう。そうでなければ、夢の実現がいつまでも先延ばしになってしまいます。

自分の言葉に注意を払えば、何に興味があって何が得意なのかわかるでしょう。何に興味をそそられ、早く長く話すようになるか気付くようにしましょう。本や雑誌／新聞記事を読んでいるとき、どんな種類のものに興味を惹かれますか？　これが重要な手がかりとなります。

また、人の好みに対する傾向にも注意を払いましょう。多くの人々から、同じ種類の助けを求められたり、情報について尋ねられたりすることがありますか？　あなたがすでにプロとして営業しているのなら、クライアントから寄せられる質問について考えてみてください。クライアントが望むのは、特定の話題についてのあなたの知識です。次に、ひらめきを得て、興味の範囲を絞り込むためのジャンルを紹介しておきましょう。

＜テーマを見つけるためのキーワード＞

中毒症状からの回復
天使
動物とペット
占星術
詠唱
子どもの問題
カラーセラピー
クリスタルチャイルド
水晶と鉱石
ダンス
ＤＶ予防と回復
夢判断
エコロジーと環境保全
ライフコーチング
引き寄せの法則の顕現
ボディーワーク
ミディアムシップ（霊媒術）
男性の問題
人魚
音楽
自然由来の化粧品
数霊術
栄養学
海洋保護
オラクルカード
組織と時間管理

エネルギーヒーリング
妖精
風水
フラワーエッセンス
無グルテン食
ヨガ
ハーブ研究
ヘルメス主義
ユニコーン
文章を書くこと、出版
ピラティス
パワースポット
霊能力開発
ローフード
恋愛と人間関係
聖幾何学
ストレス管理
太極拳
インディゴチャイルド
道義的投資
世界宗教とスピリチュアリティー
悲嘆に暮れる人を支える
ホームレスなど助けを必要としている人々
先住的スピリチュアリティーの実践

個人的問題（中毒症状や虐待）と対峙して克服し、同じような体験を通じてほかの人々を助けることにやりがいを感じるなら、それがしるしです。自分がワクワクできること、本当の幸せをもたらしてくれるものを選びましょう。決断に使うべきは頭ではなく、心です。あなたは、自分が選んだものと共に生きていくのです。

私は準備ができているか？

専門分野が決まったとして、あなたはそれについてすぐに教えることができますか？　答えはおそらく、できるかもしれない、という程度でしょう。あなたのハイヤーセルフと直感は、さらなる研究が必要なとき、より深く学ぶべきとき、そしてより良い準備を整えるべきときを知らせてくれます。

私がヒーラーになるよう導かれたときは、大学に戻って心理学を学ぶべきであるという導きが、強く明らかな形で示されました。かなり時間がかかり、努力も必要でしたが、私は心理学が大好きだったので、とても楽しく学ぶことができました。

再び学校で学ぶことを決心した理由は、愛と喜び、そして内なる導きでした。スピリチュアリティーを仕事にするにあたり、すべてポジティブな要素から準備を整えることができた例と言えるでしょう。

しかし、引き延ばしの手段として学校に通っていた人々もいました。夢を実現させる決定的な行動に出られないまま、もっともらしい理由を作って時間稼ぎをしていたのです。こうした人々にとっての教育は、愛ではなく恐れによって動機づけられたものとなります。

かつて一緒に働いていた女性は、博士号を３つ持っていました。なぜ３つも必要だったのか？　彼女は、自分が能力も資格もある人間であることを実感したかったのです。心の奥底にあったのは、学位をたくさん取って父親に認められたいという気持ちでした。これに気付いた彼女は、本当の自分の夢に向かって歩み出すことができました。

これから何かを学ぼうとしている人は、自分にこう尋ねてみてください。学校に行くことで、夢へと向かう行動が遅くなってしまうだろうか？　答えが「ノー」ならば、ハイヤーセルフの英知から生まれたアイデアと言えるでしょう。幸福感があるなら、その導きにまちがいはありません。

夢に向かって進みながら学校へ通うこともできます。チャップマン大学でカウンセリング心理学を学んでいた時期に、私はとある病院のケアユニット（薬物／アルコール依存症治療センター）でボランティアとして働いていました。そしてほどなく、私は正規職員として働き始めました。チャップマン大学で理論について学びながら、病院のカウンセリングの現場で最高の実践教育を得ることができました。目指す分野で、しっかりとした技術を持つ人々に囲まれながら、まずはボランティアとして働いてみることを強くお勧めします。これ以上ないほど貴重な体験を得られるでしょう。

あなたの夢がスピリチュアル系の作家であれ、スピリチュアル・ティーチャーであれ、ヒーラーであれ、エゴは、準備が十分に整うときなど訪れるわけがないと伝えてくるでしょう。前述したように、エゴの狙いはあなたを恐れと不安で満たされた海でいつまでも泳がせておくことにほかなりません。それがエゴの糧となるのです。

カウンセラーとして仕事を始めた頃、摂食障害について人々に教え、助けていくことに大きな不安を感じました。じつは、私自身も摂食障害に悩まされ、克服したばかりだったのです。そんな私にほかの人を助ける資格があるのか・・・・、夜も眠れないほど悩みました。

しかし幸いにも、初心者ならではの強みもあるという事実に気づくことができました。そして、まったく新しい治療法のヒントがひらめいたような気がしました。中毒症状から解放される感覚というのは、それを自分で体験したばかりの私が一番良く知っていました。

十分すぎるほどの経験を積んだベテランから貴重な体験を得られることは事実です。でも、長い間同じことを教えている人は、スタートラインに立ったときの気持ちを忘れてしまっているかもしれません。歩き出したばかりのスピリチュアル・ティーチャーやヒーラーの強みは、まさにここにあると思いました。

引き寄せの法則により、あなたにとって最高の生徒やクライアントと出会うことができます。そのためには、まず自分が何であるのかを自覚し、明らかな形で宣言することが必要です。ヒーラー、スピリチュアル・ティーチャー、あるいは作家（もちろん、すべて兼ねてもかまいません）。その道で生きていく準備ができていることを明言しましょう。

あなたの明確な決心こそ仕事の本質を何よりも明確に示すものであり、名刺や広告、パンフレットなどと比べものにならないほど重要です。いつかスピリチュアリティーに関わる仕事をしたい、という思いはまちがっています。こうした考え方は、憧れが実現するのは将来のいつかであり、しっかりとしたリアリティーが感じられる現在というニュアンスが欠けています。

スピリチュアリティーに関わる仕事については、今という時点を中心に自分を見て感じ、考え、そして語りましょう。憧れ、夢にまつわるすべての要因があなたにとって良い方向に進んでいることをイメージし、感じ取ってください。経済的安定、愛情に満ちた人生、健やかな体、あふれる活力とやる気、人生の意味、素晴らしい友人、そして仕事での成功。望むことすべてを、今この瞬間に起きていることとして目に映し、感じ取ってください。こうすれば、信じられないような不思議な方法で、望むものを今すぐ自分に引き寄せることができます。今すぐ文字にして、アファメーションを行いましょう。

私は、スピリチュアル・ティーチャーである。
私は、ヒーラーである。
私は、成功を手にした作家である。

自分が思い描く職業を具体的な文言をアファメーションにしてください。アファメーションとビジュアライゼーションはとても力が強く、そしてあなたはすでに両方ともそれを使っています。「いつか‥‥したい」というアファメーションは、将来という時点を前提としています。アファメーションの言葉は、すべて現在形にしてください（その気になるだけでもかまいません）。「私はすでにスピリチュアル・ティーチャーである」と繰り返し言葉に出すことにより、森羅万象が呼応する体験を生み出してくれます。大丈夫です。あなたならできます。あなたは、すでに夢を叶え、なりたかった自分になっているのです。

第15章

スピリチュアリティーを職業として起業する

スピリチュアリティーを仕事とするあなたは、多くの人々の前に出るだけではなく、心と感情、そして知性を媒体として、精神世界ともつながっていなければなりません。あなたの仕事は、多くの人々に対して自分の信念について語ることにほかなりません。リスクとも無縁ではいられませんが、それだけの価値はあります。

ディナーパーティーで避けるべき話の代表格として政治と宗教が挙げられますが、これには納得できる理由があります。誰もが自分なりの意見を持っていて、その一つひとつが異なって当然です。話題が政治と宗教ならなおさらです。パーティーの主催者は、集まった人すべてが合意できる話題で会話が弾むことを願うばかりです。政治スキャンダルが話題になった瞬間、緊張しなければなりません。

スピリチュアル・ティーチャーや作家、そしてヒーラーの話題も同じです。スピリチュアリティーは宗教ときわめて近いので、タブーの領域に踏み込むことになります。ほかの人々には受け容れられないかもしれない信念を明らかにする機会が多いので、スピリチュアリティーを職業とする人には、大胆さが必要です。

あなたに、これができるでしょうか？　もちろんです。前述したことを思い出してください。万人に受け容れられた歴史的人物など存在しません。世界に変化をもたらした人は、誰もが激しい中傷にさらされたのです。

好戦的な部分がある人は、ほかの人々との論戦を楽しめる余裕があるかもしれません。ただし、スピリチュアリティーを職業とする人々の大部分は感受性が非常に高く、いさかいに恐れを感じることも珍しくありません。それに、怒りの感情を媒体にしてほかの人を自分に同意させることなど不可能です。また、この文章を読んでいるあなたは私と同じく、誰かの考え方を力ずくで変えることなどにはそもそも興味がないでしょう。

自分の考え方を伝えるのに最も良い方法は、生き方で信条を表すことです。伝えようとすること、教えようとしていることの見本となるのです。語ることすべてを実践しましょう。私は健康的な菜食主義を貫き、アルコールは口にしません。そうしたライフスタイルを何年も続けながら、信条を体現しています。自分が教えることを心から信じているからです。信条を体現しながら暮らしていると、自尊心と自信を高く保っておくことができます。

それに加え、精神世界は、正しい生き方をすることのみによって得られ、発することができる高い周波数を感知します。精神世界からの信頼を勝ち取れば、苦労してクライアントを獲得する心配も要りません。精神世界に認めてもらうためにも、信条を体現する生き方が一番なのです。

仕事では「どのようにお役に立てるでしょうか？」という態度でクライアントと接してください。物質的な側面についての思考は一切持たないよう心がけてください。最初から報酬や名声について考えるのは正しい姿勢ではありません。仕事としてスピリチュアリティーに関わることの動機を純化することによって、素晴らしいチャンスが舞い込んでくるでしょう。

瞑想や祈りに多くの時間を割きましょう。あなたの心と感情、そして肉体に、浄化の光が当たっている場面をイメージしましょう。この光を目に映しながら仕事に対する気持ちを高め、過去の経済的・個人的な不安を取り除いてくれるよう、生活を通じて神に奉仕する揺るぎない土台を作るのを助けてくれるよう頼みましょう。

メッセージを伝える

あなたが信念を実践し、神への奉仕に意識を集中させていることが精神世界に知られると、チャンスとクライアントがもたらされます。加えて、さらなる行動を促す聖なる導きが与えられ、これに従うと、あなたの存在はより多くの人々に知られることになるでしょう。

スピリチュアリティーに関わる仕事は、日用品を売るのと同じやり方では立ち行きません。クライアントとしてあなたを訪れる人々も霊能力を具え、きわめて敏感であるという事実を忘れないでください。不誠実さや手の込んだ売り込みは見透かされます。

最善策は、あなたの仕事ぶりを公の場で明らかにし、引き寄せの法則を信じて、素晴らしいクライアントとチャンスがもたらされるよう待つことです。大丈夫です。必ずそうなります。

実際のセッションを予約する前に、ヒーラーやスピリチュアル・ティーチャーについて知っておきたいという人は少なくありません。次に示すのは、自分をプレゼンする方法です。

自分をプレゼンする①ブログ、ビデオブログ

まず、ブログを使うのが効果的です。動画を公開するビデオブログも選択肢の一つでしょう。ツイッターなど多くの人々が利用しているサービスを使えば、さらに多くの人々に働きかけることができます。

自分をプレゼンする②講演とワークショップ

摂食障害専門のカウンセラーとして仕事をし始めたとき、私は地元のスポーツクラブや公共機関で無料講演会を行いました。こうした講演で、自分の考えや仕事について語ったのです。講演会の後、平均して３～４人の人がカウンセリングの予約をして帰りました。講演については、次の章で詳しく語ることにします。

自分をプレゼンする③口コミ

講演会でもヒーリングセッションでも、あるいはリーディングでも、一度成功すれば、誰もがあなたの名前と仕事ぶりを知ることになります。口コミは、強い味方になってくれるでしょう。親しく付き合っている友人があなたを褒めていれば、話を聞いた人もあなたに良いイメージを抱

くでしょう。まだ会ったこともない人から信頼を勝ち取ることも可能なのです。

エンジェルリーディングを始めたばかりの私は、名前をまったく知られていませんでした。その頃クライアントとして私を訪れてくれたとある女性が、たまたまアルコール中毒更生会の重要メンバーだったのです。関係者なら誰でも知っている人物でした。彼女は私のリーディングを気に入ってくれて、仕事仲間や友人に話してくれたようです。そして、そのほとんどがリーディングの予約を入れてくれました。一時期は、その女性関連のクライアントですべて予約が埋まってしまうほどの状態でした。

自分をプレゼンする④祈り

私は、次の祈りの言葉で結果を得ました。

今日、私のワークショップに導かれてくるすべての人が祝福を与えられますように。彼らがワークショップに参加するための時間とお金、交通手段、子どもを預ける手段、その他すべてのことがうまくいきますように。

私のワークショップに参加してくれる人々は、開催を〝たまたま〟知ったとか、〝まったくの偶然で〟時間とお金の余裕があったという話をよくしてくれます。ところで、ここで紹介した祈りの言葉は、自分なりにアレンジしてみてください。

ここまで紹介してきた方法によって、あなたの仕事はより良く知られるようになるでしょう。そして、多くの人に見られることも苦に感じなくなるはずです。どの方法を選ぶにしても、しばらく続けてみてください。あなたの名前を数回目にして、ブログの記事を数回読んでからセッションの予約を入れようと思う人もいるはずです。

プロフィールをつくる

雑誌やブログ、そしてパンフレットに使うためのプロフィールを準備しておく必要があります。ほとんどのライトワーカーは、自分を良く言うことに慣れていません。信頼の置ける友人に手伝ってもらうのがいいでしょう。

プロフィールは、第三者が書いた文章というスタイルが普通です。あなたがメアリー・スミスという名前であれば、文章は「私は子どもの頃からスピリチュアリティーに触れ」ではなく、「メアリー・スミスは子どもの頃からスピリチュアリティーに触れ」という書き口になります。

スピリチュアリティーにおいて、人々の視線を集める最も大切な資質は、ヒーラーあるいはティーチャーの人生体験です。学問的な実績よりも、実際に不思議な体験をしていることのほうが大切でしょう。次に示す体験をしている場合、必ず盛り込みましょう。

◎臨死体験や、生死を分ける状況から奇跡的に助かった経

験がある

◎子どもの頃から、天使や妖精、旅立った人々と言葉を交わしてきた

◎家族全員が霊能力者である

◎嫌いだった仕事から〝逃げ出し〟、憧れだった仕事に就いている

◎ソウルメイトを見つけ、長い間揺るがない関係を築いている

これに加え、信じられないような顕現に関する話や、不思議な体験に関する話がある場合は、必ず言及しましょう。

次に、スピリチュアリティー分野での教育について触れておきましょう。たとえば、瞑想法などです（名前を知られた人に教わったのなら、その人の名前も出すべきです。あるいは、有名なパワースポットでセッションを行った場合は、場所の名前も明記してください）。

そして、これまで手がけた本や、プロフィールを作っている時点で手がけている本をすべて紹介します。出版前の本について触れるのはごく普通です。〝メアリー・スミスは、近刊予定の『○○○』の著者である〟といった文章がいいでしょう。重要なのは、〝近刊予定〟という言葉です。確実に執筆しているという事実と、確実に出版されるという事実を感じさせ、アファメーションにもなります。

最後に、ヒーラーあるいはティーチャーの背景としてふさわしい教育について触れておいてください。たとえば、〝メアリー・スミスは○○病院で看護師として勤務してい

た経験があり‥‥〟といった感じです。人を助けることでは、看護師もヒーラーも変わりありません。昔の職業が今の仕事に活かされているという事実を知らせましょう。

プロフィールの長さは、２〜４段落くらいがいいでしょう。性格に関する一文も忘れないでください。〝メアリー・スミスは温かく、人を楽しませる性格で、講演によってインスピレーションをもたらす〟というような文章です（この部分も友人に頼んで書いてもらうのがいいでしょう）。

心配は要りません。プロフィールは、多くの人にあなたという人間とあなたが提供できることを知ってもらうためのものであり、エゴの道具ではありません。温かい気持ちを込めて正直に書けば、クライアントとなる人々も温かい気持ちで受け取ってくれるでしょう。

企業家精神と自家経営

多くのライトワーカーにとって、自分が信じるスピリチュアリティーを実践する仕事に就くことが人生で初めての起業、そして自家経営ということになります。前章で触れたとおり、私たちの多くが、前世は僧侶や修道士、尼僧、筆写者、あるいは使用人として共同生活を送っていました。生活するために必要最低限のものは最初から与えられていたのです。

自分だけで何とかやりくりしながら日々の暮らしを送っ

ていくことにどうしても馴染めないのは、あなただけではありません。前世には、〝分割された財産〟という概念が存在しませんでした。誰一人として（王族は除いて）、自分だけの貯金などありませんでした。

自立することは、精神的成長の一部にほかなりません。肉体を持って物質世界に生まれた理由の一部は、自分が必要なものを手に入れるために何かをすることを学ぶためです。あなたが他人のためにすることによって、あなた自身にも喜びがもたらされます。もう苦しむことはありません。すべての苦しみは、前世で終わりです。

あなたにとって自営業がまったく初めてなら、次の項目を参考にしてください。自営業者に必要とされる資質です。

自営業者に必要な素質①自制力

上司がいなくても、自分ひとりで一定の仕事量をこなすスケジュールが維持できる能力です。情熱が感じられることを仕事として選ぶべき理由は、まさにここにあります。意識をオンラインゲームに向けず、仕事への動機とやる気を保つのは、情熱です。

自営業者に必要な素質②何でも自分でやる

企業家として重大な決断をした次の瞬間に、自分でオフィスを掃除しなければなりません。

自営業者に必要な素質③集中力

自宅で仕事をしている人は、集中するのが難しいかもしれません。近所の人が訪ねて来ても、日中はコーヒーを飲みながらのおしゃべりも断らなければなりません（仕事と休憩のバランスをうまく取ることができるなら、問題はないでしょう）。

自営業者に必要な素質④粘り強さ

進行の遅れや、自分を拒否されるようなことがあっても、夢や意志を諦めずに持ち続けることが大切です。

自営業者に必要な素質⑤創造性と柔軟性

ときとして、やり方を変えることも必要です。

自営業者に必要な素質⑥目的に向かって進む意欲

あるとき天使が私に語りかけて、私が素晴らしい機会に恵まれる理由は、私がほとんどの場合〝イエス〟と言うからですよ、と教えてくれました。ポジティブな言葉が天使からの信頼をもたらします。あなたもそうしてみてください。

自営業者に必要な素質⑦利益を出し、税金を支払う

被雇用者は、給与から税金分が差し引かれます。企業家として、あなたは自分が支払うべき税金を自分で計算し、

申告しなければなりません。その一方、自営という形態にはさまざまな控除が適用されます（地元の会計士に相談してみるといいでしょう）。

たじろいでしまっても無理はありません。敏感なヒーラーやスピリチュアル・ティーチャーの資質や技術は、ビジネスマンとして求められるものの対極にあります。霊能者やヒーラー、アーティストであると同時に企業家であるためには、右脳と左脳両方を働かせなければなりません。

私がお勧めするのは、一日のうち時間を決めてスピリチュアルな仕事をしながらアルバイトを続け、徐々に自営に移行していく方法です。この方法には、次のような利点があります。

＜徐々に自営に移行していくメリット＞

①すぐにお金を稼ぎ出さなければならないという必死な状況に追い込まれることがなくなります。ニューエイジ系のクライアントの感覚は鋭いので、必死さが伝わってしまいます。必死さは、クライアントから得ようとするあなたの意図として伝わってしまい、エネルギーを吸い取られることを恐れる人はあなたに近寄らなくなります。クライアントの目的は、あなたからエネルギーを与えてもらうことです。定収入が得られる仕事をしながら、精神的余裕を持って新しい仕事の仕方を模索するのも悪くないでしょう。気持ちに余裕があれば、それだけで顧客

が集まり、それ以外の形でも成功がもたらされます。

②自由な時間に自分が好きなことをできると思えば、定収入を得るだけの仕事にも耐えることができるでしょう。その思いが、トンネルの先に射し込む光明となるはずです。

③スピリチュアリティーに関わる新しい仕事が軌道に乗ったら、それまでの仕事はアルバイト程度までに縮小できるでしょう。そしてやがて完全に辞めることができる日が来ます。その日が来たら、自由を思う存分味わってください。

これまでしてきたすべての仕事によって、あなたはさまざまな価値ある技術と貴重な教訓を得てきました。無駄だった仕事などひとつもありません。たとえ定収入を得ることだけが目的だとしても、感謝の念を忘れてはなりません。それが愛のエネルギーを生み、緊張を和らげてくれるのです。

選んだ分野の仕事で成功する自分の姿をイメージし、その感覚をアファメーションとして口に出すことを強くお勧めします。定期的に、そして頻繁に行ってください。新しい仕事でイメージと言葉が果たす役割は大きいのです。忘れないでほしいことがあります。

喜びはクライアントを引き寄せ、恐れはクライアントを遠ざける

心配が生まれたら、祈りと共にその心配を神に渡してください。そうするときに〝どのように奉仕するか〟という思いに意識を集中させましょう。森羅万象は、与えた分を必ず返してくれます。森羅万象は、すべてのバランスが取れるよう機能します。あなたがすべきは、恐れも罪の意識も感じないまま、受け容れる体勢を作ることだけなのです。

第16章

プロの講演者になる

あなたがヒーラーであっても、アーティストであっても、作家であっても、あるいはスピリチュアル・ティーチャーであっても、講演は癒しのエネルギーと光、そして愛を広げるための素晴らしい方法です。一度に多くの人々に対して伝えることができるので、あなたが想像するよりもはるかに大きな変化をもたらすことも可能です。

どうやって始めればいいのか？

今から何年も前、講演するべきであるという導きを与えられたとき、私自身もまったく同じことを考えました。とはいえ当時の私は、自分の講演者としての資質に疑問を感じていたのが事実です。話を聞きに来てくれる人たちに対して正確な情報を与えることに関しても、資格的に問題はないかという思いもよぎりました。それでも、森羅万象は目に見えない力で私を導き、私は講演をせざるをえない状況に置かれました。当時私がしていたカウンセリングの仕事に、講演は欠かせない要素だったのです。

これは、決して簡単ではありませんでした。あるとき、飲酒運転で逮捕された人々の前で、アルコール中毒からの回復について語ったことがありました。私の講演会への参加は、裁判所命令です。自ら進んで参加したわけではないので、会場の雰囲気も最悪でした。

ほとんどの人がサングラスをかけ、腕組みをしたままで話を聞いていました。敵意丸出しの態度です。この体験があったからこそ、今の私は批判を受けそうな人たちに対しても恐れを感じないでいられるのだと思います。前述したように、どんな仕事も価値ある教訓を与えてくれます。

私は十代の頃から多くの人々の前に立つことが多く、こうした体験が大いに役立ちました。サンディエゴ郡に住んでいた頃、いくつかのバンドをかけもちし、人前で演奏することも珍しくありませんでした。ただし、ステージでは楽器に隠れることができ、観客の意識も音楽に向いていました。スピリチュアリティーに関して話をするときには、隠れる場所がありません。オーラとボディーランゲージにすべてがはっきり現れてしまいます。

そこで私は、スピーチの講座で勉強しました。この体験は役に立ちました。地元のコミュニティーカレッジから始まり、UCLA（カリフォルニア大学ロサンゼルス校）で行われていた特別講座にも参加しました。私は現在いくつかの出版社と仕事をしていますが、費用を負担してもらってメディア向けの話術を学んだこともあります。どんなコースからも、新しい体験と見識が与えられました。

科学的調査でも、多くの人々の前で話すことに対して恐怖を感じる人は世界中にいる事実が明らかになっています。きちんとした講座で話し方について学べば、自信と勇気が身に付きます。次の方法も試してみてください。

＜祈り＞

私の本を出版してくれているヘイハウス社が、1990年代に〝女性に力を与える〟というテーマの講演会を行ったことがあります。私は、最初の講演者に選ばれました。幕間から会場を覗いた私は、観客のあまりの多さに驚き、緊張で体のふるえが止まらなくなりました。文字通り、両膝が抜けたような状態になってしまったのです。

そこで私は、小さな部屋に入ってドアをきっちり閉め、ひざまずいて救いを求める祈りを捧げました。出番が数分後に迫っているのに、声が震えてよく出ません。そのとき、愛に満ちた天使に取り囲まれている自分の姿をイメージするよう導きを受けました。その通りにした瞬間に、奇蹟が起きました。緊張でこわばっていた体から力が抜けて、嘘のようにリラックスできたのです。ステージに出て行ったとき、デトロイトでの会場を埋め尽くした聴衆が、温かく大きな拍手で迎えてくれました。神様、ありがとう！　そして、ありがとう、デトロイト！

＜目的は印象付けることではなく、祝福すること＞

ある夜、私はかなりの数の聴衆の前で話をすることになっていました。ところがなぜか、まったく気持ちが落ち着きません。そこで舞台裏で瞑想すると、すぐに癒しの大天使ラファエルの存在を感じることができました。心の中に、ラファエルの声が響きました。

強い印象を与えようと思ってはいけません。そうではなく、観客の一人ひとりを祝福する気持ちに意識を向けなさい。

ラファエルの言葉が正しいことは、すぐにわかりました。観客が、私という人間、そして私が伝えることを気に入ってくれるかとても心配だったのです。言葉を変えれば、良い印象が与えられるかどうか気になって仕方がありませんでした。これは、エゴが生む感情以外の何物でもありません。これまで強調してきたように、エゴと霊能力はまったく関係ありません（エゴは恐れから生まれるからです）。意識をすっかり変えなければ、そのときのワークショップは失敗に終わっていたにちがいありません。

エゴは〝私〟に関わることしか考えません。人々が私を気に入らなかったらどうしよう？　私ができなかったらどうしよう？　私が失敗したらどうしよう？　どんな質問も、主語は〝私〟です。意識の向く先が〝私〟だけだと、すべての恐れの感情が現実となり、失敗しやすくなってしまいます。

それと対照的に、純粋な愛であるハイヤーセルフは100％〝霊的〟な部分で、すべての人、すべてのものと共にあります。あなたのハイヤーセルフは、きわめて明確な形で交わされるコミュニケーションの媒体となり、あなたのリーディングの内容が正確になり、癒しは効果的となり、講演の内容も綿密で有益なものとなります。

ハイヤーセルフに意識を向けるためには、〝あなた〟あるいは目の前にいる観客に集中しましょう。言葉を変えて言えば、印象を残すことよりも、目の前にいる人々を祝福することを意図してください。

＜なりゆきに任せ、神に任せる＞

神はスピリチュアリティーにまつわるすべての職業を司っています。創造主の愛に対して気持ちも心も大きく開き、あなたの肉体を通して、あなたの言葉に神の愛が宿るようにしましょう。

最初のひと言と終わりのひと言を決め、話の内容を簡単にまとめておくのもいいでしょう。ただ、聖なるインスピレーションを受け容れながら、柔軟性豊かに話を進めていくことを忘れてはなりません。

聴衆が何を求めているのかを感じ取れることがあります。その場の雰囲気に応じて話題を変えながら、直感に従って話を進めましょう。質疑応答に関しても、まったく同じことが言えます。言葉が流れるままに答えましょう。愛に満ちた言葉で親切に語りかければ、それが神聖な答えとなるのです。

聴衆への対処

スピリチュアリティーのワークショップに参加する人々

の大部分は、親切で思慮深いので、あなた自身も講演を楽しむことができるでしょう。ワークショップで、講演者と聴衆が愛を媒体としてつながる状態の高揚感は、比べるものがありません。

ただし、どの会場にも一人か二人、あなたやほかの聴衆にとって問題となる人がいるかもしれないことを覚えておいてください。次に、対処法を記しておきます。

聴衆への対処法①一緒に教えたがる人

あなたと一緒になって教えようとするタイプの人がいます。自分の意見や話をしようと割って入り、あなたを邪魔します。観客の話を聞き、その場にいるすべての人と分かち合うことはとても大切ですが、このタイプの人はあなたとほかの人々に自分の印象を残すことが目的で話をするので、行い自体に愛や与える気持ちが込められていません。実際は、すべてを一方的に奪っていると言っても過言ではないでしょう。あなたがあなたの言葉を伝えるべき時間も、この人に取られています。

自分のワークショップなのですから、自分ですべてを管理することが大切なことは言うまでもありません。いかなる状況にあっても、誰に対しても、主催者であるあなたの権限を与えてはいけません。

観客は、いちいち口を挟む人にも、進行を管理できないあなたにも苛立ちを感じます。会場に集まってくれた人々は、ほかの誰かではなく、あなたの話を聞きたくて時間とお金を費やしました。

温かい響きの言葉で、こう言ってみてはどうでしょう。

「驚きました。良くご存知ですね。でも今、体験談について話し始めると、講演のテーマとずれてしまいます。ですから今は、テーマに沿った話をさせていただけませんか？」

こう言えば、納得せざるを得ないことを理解してくれるでしょう。そしてあなたの話を聞こうという気持ちになるはずです。

聴衆への対処法②話を邪魔する人

宗教論を戦わせたがる典型的なタイプです。神やイエスという言葉が何回も使われないと、気が済みません。

私の最高の対処法は、その人に思いやりを向けることです。

「とても怒っていらっしゃいますね。あなたが安らぎを得られるよう祈らせてください」

あなたの話を邪魔する理由は、この人の心が安らいでいないからです。聖書からの言葉を持ち出してきたら、注意が必要です。私は聖書を何回も読みました。名言がどこに記されているかも熟知しています。ただし、聖書に関する知識を競っても、得るものは何もありません。誰の心も変えることはできないし、闘争的なエネルギーで、聴衆の心が乱されてしまいます。あなたの話を邪魔する人には、こう言いましょう。

「素晴らしいです。講演の後、二人でお話ししませんか？

ただ、今はテーマに沿って話を進めなければなりません」

質疑応答の時間を作るのも大切です。特定の話題に関する質問を受けることをあらかじめ知らせておきましょう。手を挙げる人がいたら「喜んでご質問にお答えします」と言って、質問事項を書いてもらっておいてください。

講演者であるあなたは、イベントの主催者でもあります。スケジュール通りに開始し、必要なら休憩をはさみ、テーマに則って進め、イベントを終える必要があるでしょう。

講演場所の選び方

必要なのは講演者と聴衆だけなので、講演会を開くことができる場所は無限にあります。ただし、会場とする場所の基準を決めておく方がいいでしょう。静かで、邪魔が入らないというのが最低条件です。講演の間、祈りを捧げたり瞑想したりすることもあるでしょう。外部の騒音が入ってくるような会場では、それもできません。

私は一度、ホテルの宴会場で講演会を開いたことがあります。広い部屋だったので、仕切りで分割してもう一つのイベントが行われていました。教会の聖歌隊の練習です。歌声はとても素敵だったのですが、私の声は聴衆にまったく届きませんでした。また、真下の部屋で結婚披露宴が行われていたこともありました。バンドも入っていたので、大変な音でした。

それでも、究極の体験として忘れられないのが、私の講演会のすぐ隣の会場でハーレー・ダビッドソン社の見本市が行われていたときです。講演を行っている間、エンジンの爆音が止むことはありませんでした。爆音に邪魔されながらも瞑想し、何とかイベントを終えました。

最近では、隣の部屋や周囲の施設でどんなイベントが行われるのかをチェックしてから、講演会の依頼を受けることにしています。

会場を押さえる前に、少なくとも３つの話題を準備して、それぞれの内容を一段落ほどの長さにまとめておきましょう。話題も説明文も、〝利益志向〟を強調しておけば、多くの人々が、講演会で得られるものがあると感じるでしょう。たとえば、次のような文章はどうでしょうか？

■スピリチュアルな人々のためのストレス管理

プロのヒーラーとして活躍するメアリー・スミスが、この楽しくてためになる講演会で、あっという間にストレスが解消できる３つの方法を紹介します。仕事の休み時間や運転中、あるいは忙しい一日の合間にできる免疫機能の向上について学びましょう。メアリーが主導する瞑想によって、身も心も癒されます。ストレスを解消し、自分に祝福をもたらしましょう。

このような講演会タイトルと内容をいくつか準備し、プロフィールを書き添えてパンフレットや手紙に仕立て、次に紹介する会場としてふさわしい場所のオーナーやコーディネイターに連絡しましょう。

書店やショップの活用法

書店やショップは、客足と売上げを伸ばす必要に常に迫られていると言っても過言ではありません。イベントは集客力を高めるので、歓迎されるでしょう。個人経営ならオーナーに直接かけあうのが一番です。チェーン店の場合はイベントを担当する係の人と連絡を取りましょう。

＜チェーン書店＞

大手チェーン書店は、大企業によって運営されていますが、各店舗を任されているのは本を愛して止まない人たちです。こうした人たちは読書会などのイベントにも積極的なので、人前で話す練習をするためには理想的です。

それに加え、あなたがすでに本を出している場合—ほかの人の本でも話を提供していれば同じことです—は、サイン会も開けば書店は大喜びでしょう。

チェーン店で開かれるイベントは無料なので、ギャラは出ないのが普通です。でも、人前で話すことは貴重な体験になり、セッションの予約を入れてくれる人と会えるチャンスもあるでしょう。

＜ヒーリングショップ＞

規模が小さな店が多いヒーリングショップは、常にお客さんを求めています。あなたのイベントが生き残りにつながります。

一般的に言って、ヒーリングショップはイベントの際にはチケットが販売されるので、入場料金の一部があなたにも支払われます。チケットの価格についてはショップ側に任せておけばいいでしょう。おそらくは50パーセントずつということで落ち着くはずです。前もって、金額が手取りなのか、経費込みなのかをはっきりさせておいた方がいいと思います。ヒーリングショップは、本の売上げを増やすイベントを多く開催する傾向があります。イベントには、次のような要素が含まれます。

＝商品のデモンストレーション＝

私が主催するコースで勉強したエンジェルセラピストたちの多くがオラクルカードを使っているので、カードの使い方を紹介するためのイベントを行うことがあります。こうした種類のプレゼンテーションは関わる人すべてに恩恵をもたらすものと言えるでしょう。クライアントは無料のリーディングを楽しみ、ショップ側は客数の伸びを期待することができ、そしてエンジェルセラピストは公共の場で話すことから利益を得ることができます。多くのクライアントがセッションの予約を入れてくれる可能性もあります。無料のイベントであることも魅力的です。

＝ヒーリングイベント＝

定期的に開催されるイベントで、〝エンジェルヒーリング〟ならば、ある程度の人数が集まって祈りを捧げ、瞑想するという形態になるでしょう。あるいは〝顕現〟や〝悲しみの克服〟といった特定の話題について話し合う会ということもあるでしょう。こうした形態の会合は寄付を募って行われます。

＝セミナー＝

セミナーというのは、チケットを買った人々が集まる講演会です。

＝ワークショップ＝

ワークショップは、聴衆が参加する形（オラクルカードの読み方や霊能力によるリーディング、あるいはエネルギーヒーリングの実践など）で行われる体験型のイベントです。この種のイベントは、セミナーよりも高い参加費用が必要となるのが普通です。

見本市・フェア・その他の場所

アメリカでは〝ホールライフ・エクスポ〟というスピリチュアリティーの大きな見本市があります。講演者やスピリチュアルグッズ販売業者がグループとなって、月に２回、アメリカ各地の大都市を回る方法で運営されているイベントです。有名講演者が常に４～５人名を連ね、それと同時に、あまり名を知られていない人たちにも話をするチャンスが与えられます。

入場料を支払えば、無料のワークショップに参加でき、スピリチュアルグッズの販売エリアに入ることができます。有名人の講演を聞くには、別にチケットを購入する必要があります。運営事務局は、講演者の交通費と宿泊費、そして講演のギャラを支払います。簡単に言えば、アメリカ各地を回って巡業するサーカスのようなものです。私自身、初めて参加してから数年が経過しました。

ホールライフ・エクスポのような形で運営されているイベントは、スタートとして素晴らしい舞台です。しかも、世界中で開催されています。インターネットで検索をかければ、すぐに見つかります。スピリチュアル雑誌にも多くの情報が掲載されています。講演者として参加する場合も、グッズを販売するスペースを借りる場合も、プロフィールを準備して主催者にコンタクトを取ってください。

講演者として参加する場合でも、グッズを販売するスペースを勧められることがあります。強い導きを感じたときだけ、そうしてください。グッズを売るのと、聴衆を前に話をするのとでは、まったく異なるエネルギーが必要です。誰かと共同でグッズ販売を行うほうがいいかもしれません。多くのエンジェルセラピストが見本市やフェスティバルに参加し、リーディングを行います。そのすぐ横でグッズを販売するという形態も普通です。

講演者にギャラが支払われる場合も、そうではない場合もあります。自分の目的をはっきりさせてから主催者にコンタクトを取りましょう。グッズ販売に関して言えば、大きな利益を出す業者もいれば、交通費と宿泊費、そしてレンタルスペースの費用をかろうじて賄えるだけという業者もいます。

＜フィットネスセンター＞

一般向けのワークショップが定期的に行われています。ギャラが支払われる場合も、支払われない場合もあります。こうした施設に関しても、自分が何をしたいのかを明確にした上で連絡を取った方がいいでしょう。

＜療養所・静養所＞

この種の施設は、自然を活かしたつくりで、ヨガ道場などが併設されている場合が多いようです。アメリカでは、こうした施設が組織化されており、ゲストスピーカーを招いて講演会が開催されることがあります。もちろんギャラが支払われます。

＜コミュニティーセンター＞

どんな都市にも、ロータリークラブのような団体によって運営されるコミュニティーセンターがあります。月例会が必ずあるので、メンバーは常に新しい講演者を探しているのが事実です。ただし、こうした種類の団体が主催する会では、スピリチュアリティー色を押し出しすぎてしまうのは考えものです。ストレス管理など、日常生活で役に立つ話題が歓迎されるでしょう。

私も、公共団体が主催する会で数多くの講演をこなしました。ギャラは支払われませんが、少なくとも顔と名前を知ってもらうことはできます。グッズがあるなら、販売することもできるでしょう。また、セッションを予約してくれる人がいるかもしれません。地元紙あるいは地元の図書館で、公共団体に関する情報を得ることができます。

＜援助団体＞

悲しみからの回復など、住んでいる場所の援助団体の目的に沿った内容の話ができるのであれば、ぜひ連絡を取ってみてください。こうしたタイプの団体はメンバーも少ないので、ギャラは出ませんが、誰かの役に立つというのはそれだけで意味があることです。

＜生涯学習センター＞

アメリカやカナダには、『ラーニング・アネックス』という組織があり、さまざまな種類のクラスが提供されています。

生涯学習センターのクラスは仕事や人間関係、フィットネス、そしてスピリチュアリティーと、バラエティーに富んでいます。スピリチュアリティーは人気があるので、自分のクラスを持って教えることができる人は常に歓迎されるでしょう。また、ホテルなどでも講演会を行っているので、常に決まった場所で決まった人々を相手にすることもありません。生涯学習センターは、文字通り全世界規模でさまざまな組織が存在するので、インターネットで検索すれば自分に合ったものが見つかるでしょう。

生涯学習センターのクラスは、平日の夜が主流です。ギャラは、クラスに集まった生徒の数を基に支払われるというシステムになるでしょう（かなり低いのが普通です）。名前が売れるまでは、交通費や宿泊費も自分で支払わなければなりません。事務的な仕事を手伝ってくれるスタッフはセンターから派遣されます。また、グッズ販売やＰＲも許されるのが普通です。

テレビ・ラジオ

私は、テレビやラジオで天使に関するインタビューを数多くこなしてきましたが、それがマイナス効果となったことはほとんどありません。ラジオ局は霊能力者をいつも歓迎してくれるので、リーディング能力があるのなら、マスコミに知ってもらうのが一番です。ローカルテレビ局の朝の番組も、バラエティー豊かなゲストを求めているので、〝スピリチュアリティー〟や〝ヒーリング〟も魅力あるキーワードとなるでしょう。

ゲストとして登場するので、番組全体にスピリチュアリティー色が強い必要はありません。私自身、ニュース番組専門局やロック専門局、健康番組、スピリチュアル番組など、ありとあらゆる種類の番組からインタビューを受けました。私の苗字（〝バーチュー＝美徳〟という苗字が芸名かという質問が特に多いのですが、答えは本名です）や天使との会話をジョークにされることもありますが、リスナーに対してメッセージはしっかり伝わったと思っています。

こんなことがありました。とある女性が、車を運転しながら私のインタビューを聞いていたそうです。深刻な健康問題に関する検査を行うため、彼女は病院に向かう途中でした。

そのときのインタビューで私が話していたのは、自由意志、そして神や天使に対して助けを求めることの大切さでした。これを聞いた彼女は、自分が神に助けを求めていなかったことを思い出したそうです。そこで、ハンドルを握ったまま、神に助けを求めました。そして病院に着き、検査を受けたのですが、深刻だったはずの状態が消え、まったくの健康体に戻っていたそうです。

ラジオのインタビューは、いつも楽しんでいます。電話で行われることが多いので、自宅にいるままリラックスした状態で受けられます。メイクも衣装も必要ありません。一時期、こうした形態のインタビューを日に５～７本こなしていたことがありましたが、さすがにこれは多すぎました。すべて終わった後にぐったりしてしまうのです。私と同じ失敗をしないでください。

多くの人々にあなたという人間を知ってもらい、ウェブサイトや商品の告知もできるので、ラジオやテレビでインタビューを受けるという体験はとても貴重です。

インターネット講座

最新のインターネット技術を活用すれば、自宅にいながら講座を開設し、多くの人々を教えることもできます。たとえば私は、スピリチュアリティー専門のウェブサイト上に設置されたチャットルームで教えたことがあります。キーボードの操作に慣れていれば、楽しいつながり方と言えます。しばらくすると、文章を打ち込んでいるのではなく、ホールを埋める聴衆に向かって話をしているかのような感覚が芽生えるでしょう。チャットルームで教えてもギャラを得ることはできませんが、メッセージを発信し、自分の存在を知ってもらうためには素晴らしい方法です。

インターネットを媒体とするものには、いわゆるオンライン講座やビデオチャットもあります。Skypeや電話会議システムを使えば、複数の人に対して教えることができます。受講生募集、料金の徴収を含め、こうした形態の講座の運営を専門に行っている業者もいるので、利用するのがいいでしょう。

ただし私は、Eメールアドレスを含めた個人情報のやりとりに気を使うので、信頼が置ける人としか組みません。

インターネットを媒体とした講座は、最初から最後まで自分で関わるのが一番でしょう。

YouTubeもメッセージを伝える方法として優れています。私も楽しみながら利用しています。公共のサイトなのでギャラは支払われませんが、多くの人々と直接的な形で関われることの価値は低くありません。

〝よそ者〟の講演者

「エキスパートはいつも別の町からやってくる」という言い回しがあります。街を訪れる人の意見は新鮮で、いつも顔を合わせる人々からは決して出ないアイデアがもたらされる、といった意味合いです。まったく同じニュアンスで、遠くからやってきた講演者が魅力的に映るというのも事実でしょう。

旅行が好きなら、プロの講演者という仕事に愛情が持てるでしょう。それに、講演とからめて現地の親戚や友人と会うこともできます。

マイクについて

講演日程が決まったら、好きなタイプのマイクを尋ねられるでしょう。自分の声に自信があってもなくても、会場に集まってくれた人すべてがはっきりと聞き取れるようにしなければなりません。話を始めてしばらくすれば、マイクがあることさえ忘れてしまいます。参考までに、マイクの種類を記しておきます。

＜ワイヤレスマイク＞

手で持つタイプのワイヤレスマイクです。話をしながらステージや部屋を歩き回る講演者には最も適しています。聴衆の近くで話をする場合も便利です。ただし、単一指向性設計なので、話すときには一番上の部分に向かって声を出す必要があります。

＜コード付きマイク＞

これは、手持ちで、コードでアンプと直接つなげられているタイプのマイクです。可動域が限られるのが気にならなければ、最良の選択でしょう。コードが邪魔になる場合もあるので、マイクスタンドを使うといいかもしれません。ただし、動きがないので、退屈に感じてしまう人もいるでしょう。ステージ上を行ったり来たりして、あるいは客席まで下りていったりしながら話をすれば、講演全体がダイナミックな印象になります。

＜小型マイク＞

襟に装着して使う小型のワイヤレスマイクです。ヘッドセット型のものもあります。このタイプのマイクは、手持ち型と比べると音質がかなり劣るようです。私も同感です。手持ち型のマイクと比べると、いつもより大きな声を出さなければならないような気がします。長時間の講演になると、ちょっと厳しいかもしれません。質疑応答の際も、質問者の声が聞こえないという不便さも否めません。

演壇とメモ

スピリチュアル・ティーチャーとしてあなたが担うべき役割は、集まってくれた人々に、わかりやすい言葉を使って深遠な概念を理解してもらうことにあります。話をするときには、あなたと聴衆がつながる上で妨げとなるようなものは極力少なくしたいものです。いわゆる演壇も、妨げとなりかねない場合があります。

演壇の後ろに立ったり、自分と聴衆の間にテーブルを挟んで座ったりする形で話をすると、客席からはあなたの上半身しか見えません。話を聞いてくれる人々にすべてを見せなければ、本当につながっているとは言えないでしょう。全身を見せれば、あなたの存在がより明確になります。あなたの話を聞きに集まってくれる人々が、さまざまな意味でかなり敏感で、霊感があることを忘れてはいけません。

そして、自然に湧いてくる自分の言葉で語ってください。あらかじめ準備した文章を読むだけで講演を終えてしまっては、伝わるものも伝わりません。下を向いた頭を見ながら、ただ文章を読むのを聞かされるのは退屈です。声に活力が感じられ、全体的に動きがある限り、ときおり腰を下ろしてもかまわないでしょう。

微笑を絶やさず、できる限り多くの人と視線を合わせるようにしましょう。聴衆に信頼されれば、あなたが発するメッセージは深いところで響きます。

講演でかける音楽

講演に瞑想を盛り込みたい場合は、音楽が必要でしょう。これについては、前もって準備を整えておく必要があります。

会場の音響システムについて確かめ、ふさわしい装置がなければ、音質の良い機械を自分で持ち込まなければなりません。いずれにせよ、機械はいつも持っているほうがいいでしょう。

より良いのは、生演奏です。スピリチュアリティーに傾倒するミュージシャンもいるので、会場に同行してもらいましょう。会場でのＣＤ販売に同意すれば、演奏料金も低く抑えられるはずです。ミュージシャンが後になってコンタクトを取れるよう、集まってくれる人々が簡単に書き込めるようなメーリングリストを前もって準備しておくことも重要です。

質問に答える

前述したとおり、講演会には質疑応答の時間を設けましょう。話をしているときや、重要なメッセージを伝えているときに邪魔をするような人がいたら、先に述べたような方法で講演のペースを保ちましょう。質問で話がテーマから外れるようなことがあってはなりません。質問を受け付けながら話を進めていくことはあなたの役割であることを、ていねいな言葉で、そして明確に伝えましょう。自分の講演は自分のペースで進めるのが鉄則です。

質問も、あなたの答えもすべての聴衆の耳に届くよう配慮しましょう。どちらかだけしか聞こえないというのでは、質疑応答をする意味がありません。答え始める前に、マイクを通して質問の内容をもう一度繰り返すのも良い方法です。あるいは、質問者にマイクを向けましょう。ただし、マイクを渡してはいけません。最悪の場合、返してもらえないこともありえます。

リーディングを行う

あなたがヒーラー、霊能者、ミディアム（霊媒）、あるいはエンジェルリーダーなら、聴衆から誰かを選んでリーディングを行うこともあるでしょう。こういう種類のリーディングも、基本的には何も変わりません。相手が立った状態で、マイクを持っていることを確認してください。その場にいるすべての人が、リーディングの内容を聞き、関わっている人を見られるようにするためです。

規模が小さなワークショップでは、私は客席に下りて、リーディングを行う相手の隣に立つことにしています。こうすると、話が感情的な内容になったときすぐに手を握ったり、肩を抱いたりすることができます。会場が大きなときには実際的な方法ではないので、私が個人的に信頼するヒーラーに手伝ってもらい、マイクをその人のところまで持っていってもらいます。私と観客の仲介役となってもらい、リーディングをスムーズに進めるためです。こうした方法を取れば、観客も安心感を抱きます。

私はこれまで、多くの講演者と一緒に仕事をしてきました。今でも第一線で活躍している人もいれば、いつの間にか姿を消してしまった人もいます。

ステージに上がる前には、誰もがある程度の緊張を感じます。その感覚は、人間の本能と言ってもいいでしょう。いえ、知覚能力がある生物ならば当たり前のことなのです。

ゴキブリに迷路を歩かせて反応を見るという内容の研究がありました。抜け方を教えた後、迷路全体を多くのゴキブリで取り囲み、同じことをさせようとすると、先ほどは迷路を抜けることができたゴキブリが同じ道筋を行ったり来たりするだけになってしまったそうです。

この実験からわかったのは、いわゆる〝あがり〟という感覚がすべての生物に刷り込まれているという事実にほかなりません。あがりは、パフォーマンスに対する集中と、観客の反応という複数の対象へ注意力が分散されることによって生まれる感覚です。

聴衆のムードやボディーランゲージに注意を払うことは大切ですが（咳払いが聞こえたり、体を小刻みに震わせたりする人が目立ち始めたら、それは休憩を取ったほうがいいというサインです）、基本的には自分の役割と講演内容、癒し、そして導きに意識を集中させ続けましょう。好かれているか、どのように思われているかという心配はすべて解き放つべきです。

集中すべきは、自分という存在を印象付けることではなく、聴衆を祝福することです。これを忘れない限り、すべてがうまくいきます。

第17章

プロのヒーラーになる

もしあなたが、ヒーラーになるべくして導かれているなら、すでにヒーラーであることを自覚してください。必要なのは、プロとしての要素だけです。人間は、究極のヒーラーである神の姿に似せられて創られているので、すべての人がヒーラーとしての資質を持ち合わせて生まれてきています。ほかの人と比べ、この資質が強く出る人もいます。

自分の体験として覚えている癒しを思い出してみてください。自分やほかの人（ペットも含みます）をどのように癒しましたか？　こうした出来事において、あなたは天界から送られてくる癒しのエネルギーの導管として機能していたのです。エゴとは関係ありません。聖なる導きによってもたらされた行いに宿る責任を、ポジティブな気持ちで受けたのです。

プロのヒーラーになるために

私は、HayHouseRadio.com というラジオ番組を持っています。多くのリスナーが電話をかけてきてくれるのですが、一番多いのは、ヒーラーになることを夢見るだけではなく、プロのヒーラーとして生計を立てていくにはどうしたらいいのかという質問です。

前にも触れたとおり、これは、自営という業態に対するあなたの考え方しだいです。自分のボスになって自分を雇うためには、何よりも自分を律することが大事です。こうしたことがあまり得意ではない人は、定職を持ちながら、徐々にヒーラーとしての体験を積んでいくほうがいいでしょう。最初から報酬を得なくてはならないような状況に自分を追い込むのは得策ではありません。必死さがクライアントを遠ざけてしまいます。

ヒーラーになりたいのなら、癒しを行うしかありません。毎日何かの癒しを行ってください。最初は自分や友人、家族、そしてペットに対して行って、経験を重ね、自信を深めてください。そして、あなたの癒しを受けた人たちの意見を聞いてください。

プロのヒーラーへの転換期は、あなた自身から始まります。素直な気持ちで、自分が持つ癒しの技術で生きていくという明確な意思決定をすることが必要です。導かれれば、無料で癒しを行うこともあるでしょう。しかしプロになると心に決めたからには、癒しによって報酬を得るという自分を実現しなくてはなりません。思っていれば、必ずそうなります。

プロのヒーラーになる意図を日記に綴り、それに意識を集中させて瞑想してください。スピリチュアルな行いで報酬を得ることに対する罪の意識があるならば、見直しましょう（前世と関係があるかもしれません）。そうでなければ、職業としてやっていくことはできないし、無意識のうちに自己破壊行動を起こしてしまうかもしれません。

報酬を得ることに納得すれば、自分にしかできない仕事のために費やすことができる時間も増えます。プロのヒーラーになって報酬を得ることができるようになれば、あなたにとって何の意味もない仕事から離れられます。あなたは、他者に癒しと祝福をもたらすという有意義な仕事を自分の手で創り出すことができるのです。

こう考えてはどうでしょうか。自分が報酬を受けることを許せば、ほかの人々により多くのものをもたらすことができるようになります。

癒しを実現するための場所を見つけるためには、他者を助ける機会が与えられるよう毎日祈りを捧げるのがいいでしょう。私は、〝神よ、私をあなたの平和の道具としたまえ〟という聖フランシスの祈りが大好きです。毎日祈りを続けながら、あなたと関わりを持つようになる人を良く見ておきましょう。あなたの癒しを助けるため、天界から遣わされた人がいるにちがいありません。また、あなたの行いを促す聖なるしるしにも注意しましょう。

＜癒しについて語る＞

自分が行う癒しについて話をすることは、あなたという人、癒しの種類について知らせるために素晴らしい方法です。プロの講演者ではない—あるいは、そうなりたくはない—と思っていても、講演会を通じて多くの人に癒しをもたらすことができるのです。方法は、次に記すようなものがあります。

◎集まってくれた人々に対し、自分が行う癒しの種類や方

式について語る
◎聴衆から一人か二人選び、自分の方法論で癒しを行う
◎自分が行う癒しの方法論について教える

前章で紹介した項目も参照してください。

＜癒しについて文章を書く＞

文章を書くよう導きを与えられたら、スピリチュアル雑誌に寄稿してみるといいでしょう。月一本というペースが理想的です。文章を書くという経験を積むことができると同時に、自信が芽生えてくるでしょう。あなたの名前も、行っている癒しについても、徐々に知られるようになります。

あなたは、癒しについての本を書くよう導かれているのかもしれません。もしそうなら、とにかく書いてみることをお勧めします。自分で本を書くというのは、本当に人生が一変する体験です（もちろん、職業的にも大きなプラスになります）。

エージェントは必要か？

答えは〝ノー〟のひと言です。マネージャーを務めてくれる人を探しましょう。講演者として仕事を始めたばかりの頃、私には二人のマネージャーがいました。最初の人は素晴らしかったのですが、もう一人クライアントがいたの

でとても忙しく、仕事を媒体とした関係は終わりました。二人目のマネージャーは給料が高く、私の収入の半分を支払っていました。契約を解除すると、彼は私を訴え、それ以降も私の収入の半分を手に入れられるよう主張したのです。不愉快な体験でした。

今はそうでなくても、いずれはスケジュール管理を専門にこなしてくれる人が必要になるかもしれません。整理整頓や、ビジネスライクにものごとを片付けるのが苦手という人もいるでしょう。夫や妻、子ども、あるいは親友が助けてくれそうにはないですか？　誰も思い当たらないという人は、アシスタントとして学生を雇うことをお勧めします。誰を雇うにしても、野心を持ちすぎていたり、愚痴が多かったり、権利ばかり主張するような人は避けるべきです。一緒に働いていて楽しくありません。雇ってしまったばかりに余計な時間がかかるということもありえます。

それでも誰も見つからないという場合は、自分でスケジュール管理を行っていくことになります。これも人間的成長の素晴らしいチャンスとなるでしょう。ヒーラーや霊能力者は右脳の働きが活発で、優れた直感力を宿しています。スケジュール管理は左脳の分野なので、脳をバランスよく使えるようになるでしょう。気をつけるべきなのは、ダブルブッキングだけです。

ヘイハウス社の編集者が言うには、出版を考えている人は、次のような要素が求められるそうです。これは、エージェントを探すときにも当てはまります。

＜作家として求められる資質＞

①まったく新しい話題を新しい角度から語ることができる
②文法とスペリングが完全であること。原稿を書き上げたら、プロの編集者に頼んで読んでもらうのがいいでしょう
③ラジオやテレビ番組への出演、講演、執筆歴、ウェブサイト運営など、すべての仕事を網羅した記録

こうした条件を満たしているなら、出版社に話を持ちかけて損はありません。私も、あなたの本が出版されるよう一緒に祈ります。次の合同サイン会でお会いできるかもしれませんね。

MEMO

第18章

ライトワーカーのセルフケア

Angel Therapy

この本を通じて述べてきたように、私は、あなたが与えるタイプの人間であることを知っています。与えるということは、ライトワーカーとしてのあなたの性質、そして世界のために与えられた役割にほかなりません。さらに、ここまで何回も強調してきたとおり、与えることと受け容れることのバランスを取らなければなりません。そうしなければ、給油をまったくしないまま走り続ける自動車のような状態になってしまいます。

人を助けるためのガイドライン

スピリチュアル・ティーチャー、そしてヒーラーとしてのあなたの目的は、肉体を持って生きている限り続く役割を全うすることです。だからこそ、与えられた役割を長い間楽しんでいただきたいのです。次に、役割を長い間楽しむための指針を紹介しておきます。

人を助けるために①寺院である肉体を慈しむ

この項目は、私があなたに対して提示できる最も大切な事実です。スピリチュアル・ティーチャー、そしてヒーラーは、肉体的にかなり負担がかかる職業です。各地を飛び回って講演をこなす人なら、なおさらでしょう。ストレスも溜まります。自分の心と体を十分にケアすることによって、仕事から生まれるストレス（長い時間を空港で過ごし、どこに行ってもスーツケースひとつを引いて歩き、時間的制約や人前で話すプレッシャーを克服し、メディアとのインタビュー、締め切りをすべてこなし、そして多くを望む聴衆やイベントプロデューサーの期待に応えなければなりません）に耐えるためのエネルギーと健康を維持できます。

一流の講演者は、一日たりともエクササイズを怠りません。食べ物に注意し、アルコールやタバコ、そしてそのほかの化学物質を徹底的に避けます。仕事と派手な生活で体を酷使し、第一線から消えてしまった人々もいます。

自分の肉体に適正な養分を与えることによって、スタミナが生まれます。一般常識と言っていい原則は、ガーディアンエンジェルから毎日のように伝えられているはずです。十分な睡眠を取り、デトックスを定期的に行い、体を動かし、瞑想する。スピリチュアリティーと深く関わる職業に就いている人々は、有機栽培の果物や野菜を中心にした食生活を送り、加工食品は極力避けます。殺されて人間の食べ物となった動物の肉に宿っているエネルギーに敏感なので、私を含めた多くの人々が菜食主義者、あるいは絶対菜食主義者です。天使からのメッセージとして、ブドウ糖や乳糖を避ける食生活を送るよう伝えられる人も少なくありません。ライトワーカーは、こうした物質に特に敏感なのです。ライフスタイルのアドバイスに関しても、あなたに付いている天使、あなたの体が発する信号を信じ、導きに従ってください。

天界に祈りを捧げて導きを求めれば、アルコールや不健康な食品などに対する欲求を抑えることができるようになります。特にラファエルは、中毒衝動を癒す能力が高い大天使です。脳裏に名前を思い浮かべ、協力してくれるよう頼んでください。たとえ天使に話しかけるのが初めてであっても、大天使ラファエルが協力を拒むことはありえません。

人を助けるために②クライアントとの距離感を保つ

これは、2番目に大切なアドバイスです。クライアントがあなたを慕うのはごく当たり前であり、依存状態になってしまう場合もあります。これを避けるため、ありとあらゆる手段を取るべきでしょう。あなたがクライアントにとっての崇拝対象になってはいけません。この種の熱は、いずれ冷めます。

クライアントとは仕事を媒体としたプロフェッショナルな関係にあるので、友達づき合いするのは賢明ではありません。ときとしては、危険な状態を生み出してしまう場合もあります。一度こうした関係になってしまうと、相手はもうクライアントではなくなります。友達になったので、リーディングや癒しを無料でしてくれるよう頼まれるのも時間の問題でしょう。

こうした状況と同じように、ヒーリングやリーディングを仕事として始めると、今の友人たちや家族が無料で見てくれるよう頼んでくるかもしれません。独り立ちする前の時点で、クライアントの立場からの意見を集め、仕事への自信を深めるための時間は必要でしょう。ただし、それはあくまでも正式に仕事を開始するまでであることを明確に知らせておかなければなりません。

仕事を始めた後、友人や家族に対して割引をするのはかまいません。しかし、それでも料金は発生します。エネルギーの変換が行われたことの証として、また、あなたが自営という業態で仕事を続けていくためには、いかなる形であれ、料金を受け取らなくてはなりません。

また、クライアントに対して感情的に近くなりすぎると、正確な内容のリーディングを行うための客観性が失われてしまいます。クライアントが望むような答えだけを伝えようとするあまり、それとちがう事実を見たり、メッセージを伝えたりすることが難しくなってしまうのです。よって、友達や家族に対するリーディングは、最初から行わないほうがいいのかもしれません。知り合いのヒーラーやスピリチュアル・ティーチャーを紹介するのがいいでしょう。そうすれば、その人の家族や友人をあなたが見ることもあるかもしれません。

クライアントと恋愛関係になることは、職業倫理の問題となります。クライアントは、あなたをヒーラーやスピリチュアル・ティーチャーとして尊敬しているので、恋愛関係になることは、ライトワーカーとしての職権濫用につながりかねません。あなたも、クライアントも傷ついてしまうこともあるでしょう。クライアントとの恋愛は、避けたほうが無難です。

クライアントに恋愛感情を抱いてしまったら、経験豊で信頼が置ける同業者に相談するといいでしょう。自分を矛盾する立場に追い込んでしまいかねないし、後悔するようなことになってはいけないので、そのクライアントとはそれ以上会わないほうがいいと思います。あるいは、クライアントとヒーラーという関係を終わりにして、少し時間を置き、仕事を媒体としない間柄を模索してはどうでしょうか。ただし、周囲の人々が抱く感情には十分な注意を払う必要があります。

大切なのは、クライアントはクライアントとして扱うことです。予約した時間の中だけで顔を合わせるという仕事を媒体とした関係でしかありません。自宅の電話番号や、携帯電話の番号、そしてEメールアドレスは明かさないほうがいいでしょう。プロとしての自分と、個人としての自分の境界線をはっきりさせましょう。また、セッションを予約する電話で質問をしてくる人がいますが、答えを出したい気持ちを抑えましょう。そうしないと、予約のたびにいくつか質問されることが普通になってしまいます。最初からしっかりとした境界線を示しておけば、クライアントも尊重してくれるでしょう。

人を助けるために③エゴに注意する

クライアントや聴衆は、さまざまな言葉であなたを褒め称えるようになります。あなたは素晴らしい。あなたは特別な存在だ。しかし、賞賛には注意が必要です。また、言葉通りに受け取ってしまうのも問題です。作家のチャールズ・クラーク・マンは、次のように語ったことがあります。

賛辞は香水のようなものだ。香りを楽しむためにあり、呑み込むものではない。

あなたに向けられる賛辞は、愛情表現のひとつです。そして、賛辞のほとんどは、心から湧き上がる本物の感情が言葉になったものです。感情に嘘はありませんが、その表し方がわからない人もいます。だからこそ、ほとんどの人がお世辞にしか聞こえないことを言います。

寄せられる賛辞をそのまま受け容れてしまうと、自分が特別な存在であると思った瞬間に生まれるエゴに取り込まれる危険を冒すことになります。〝特別であること〟の感覚は、ほかの誰かより上の存在であると感じているしるしにほかなりません。これが、〝分類〟あるいは〝区別〟という考え方を生み出します。神、そしてほかの人々から〝離れている〟あるいは〝分かれている〟という思いが、すべての恐れと罪の意識を生みます。これはまちがっています。すべての人間が同じように〝特別〟な存在であり、同じように素晴らしい才能を具えていると考えたほうがいいに決まっているでしょう。

賛辞は贈りものであり、あなたはそれを受ける資格があります。そして、賛辞を優雅な物腰で受け取りながら、エゴを抑え込み、遠ざかっていられる方法があります。たとえば、ただ微笑みながら「ありがとうございます」とだけ言っておくだけでいいでしょう。そして頭の中で、クライアントがあなたに対して感謝するものすべてを生み出した神に、賛辞をそのままの形で捧げるのです。

エゴは、恐れを基にした存在であり、霊能力とは一切関係ありません。もちろん癒しの力も宿っていません。クライアントからの賛辞をそのまま鵜呑みにしてしまうと、褒められている能力そのものを失ってしまいかねないのです。

〝最高の才能〟とか〝世界一の霊能力者〟といった言葉で自分を飾るヒーラーや霊能力者がいます。こうした人たちが信じられるわけがありません。彼らは、自分に向けられた賛辞をそのまま受け容れ、〝ほかの人間とはちがう〟というエゴの信念にかき立てられています。同じことを体験したいという人は、少なくともこの本を読んでいただいている中にはいないでしょう。

人を助けるために④導きに従って意思決定を行う

ヒーラーが、自分ひとりでやって行こうと決心する背景には、きわめて強い力で働きかけてくる聖なる導きがあります。導きに従って行動する人々は、ものごとがスムーズに流れていることが実感できるでしょう。すべての行いが、揺るぎないスピリチュアリティーに基づいているからにほかなりません。

しかし、経済的な心配に襲われたときには、行いが恐れによって支配されてしまうかもしれません。内なる導きの声が耳に届かないので、恐れによって生まれた行いを選んでしまうかもしれません。これは、まったくちがう方向に歩いていくきっかけになりかねないので、注意が必要です。

人を助けるために⑤人間関係の変化

スピリチュアル・ティーチャーやヒーラーになることによって、人生が変わることもあります。そして、すべてあなたが予測するとおりの形で起きるとは限りません。

大きな変化があるのは、人間関係でしょう。新しい仕事が、あなたの信念を示すものとなり、これがほかの人々にも伝わります。仕事を始める前、秘めていた思いが多かった人は、自分のすべてをさらすような気になるかもしれません。友人や家族からからかわれたり、批判されたりするようなことがあれば、なおさらです。

あるいは、あなたが新しい仕事で得た幸せや成功をねたむ人がいるかもしれません。あなたが変わり、自分たちが置いていかれてしまうのではないかと心配になる人々もいるでしょう。

しかし、最も大きな変化を迎えるのは、自分自身との関係です。これまでになかったくらい自分を尊ぶため、周囲の人々から見れば〝風変わりな〟行為ばかりが目に付くようになります。新しい仕事を始める前は、何にでも〝イエス〟と言っていたあなたしか知らない友人や家族との関係も脅かされるかもしれません。

もし可能なら、変化には正直に、何も隠さないまま向き合いましょう。家族にすべてを明かせない場合は、家族のガーディアンエンジェルに言葉をかけ、溝を埋め、誤解をなくしてくれるよう頼んでみてください。

倫理について

スピリチュアル・ティーチャーとして、あるいはヒーラーとして経験を積み、自信を深めていくにつれ、クライアントのきわめて個人的な情報を知ることになります。クライアントのプライバシーを守るのは当然です。医師や弁護士と同じく、セッションで語られることはすべて極秘情報として扱わなければなりません。

著書や記事でクライアントについて触れるときには、その人について語ることを許す旨を記した文書に本人のサインをしてもらうか、人物を特定できない方法で紹介しなければなりません。男性を女性にしたり、職業や年齢、住んでいる場所を変えたりする必要があるでしょう。話の核となる部分だけに集中しましょう。

クライアントをはじめとする周囲の人々すべてを守り、思いやりを持って接し、その人の身になって考えましょう。これは、あなた自身も含めてです。

クライアントが自殺をほのめかすこともあるかもしれません。こうした場合にも十分な注意が必要です。注意をしすぎて失敗するということはありません。専門家の意見を聞くようにしましょう。こうしたクライアントに対しては、ヒーローになろうと思ってはいけません。あなたの役割は、すぐに専門家に連絡し、一刻も早く専門知識で対処してもらい、その人の命を救ってもらうことにほかなりません。

ヒーラーの役割にも、あなたの知識にも限界があることを忘れてはなりません。医師や看護師、心理学者などの専門知識がない限り、助けたいという気持ちだけで突き進んでしまうのは危険です。また、健康状態や夫婦関係についてのリーディングを行うときに、慎重になりすぎるということはありません。ヒーラーやスピリチュアル・ティーチャーとして守るべき境界線を踏み越えてはなりません。

信頼できる医師や心理学の専門家と意見を交換し合えるような関係を作っておくのは、素晴らしいことです。専門家の助言が必要なときには、すぐに協力してくれるでしょう。教会や寺院、あるいはスピリチュアリティーを促進する施設なら、こうした人たちと知り合いになれるでしょう。

あなたは、ヒーラーとしてさまざまな状況に置かれるでしょう。でも、心配しないでください。どんな状態にあっても、導きは必ずもたらされます。今という瞬間に意識を集中させ、直感を耳にしてそれに従い、明日に関する心配はすべて神の手に委ねましょう。

おわりに

スピリチュアリティーと深く関わる仕事をしたいというあなたの夢は、単なる空想ではありません。あなたの運命と、魂の学びを示すしるしにほかならないのです。

あなただけの真実の道に従えば、地球は幸せであふれる星になります。報酬を得ることだけが目的の、満たされた気持ちになれない仕事を続けていると、不必要な心配ばかりが募っていきます。その一方、自分にとって意味がある仕事を創り出すことができれば、人生がしっかりとした形を取り始めます。

人は誰でも、何回か前世を体験しています。あなたはすでに、前世においてヒーラーやスピリチュアル・ティーチャーとして活躍していたのです。今生きている人生でも同じことです。子ども時代を思い出してください。きらりと光る才能や、どうしても好きなことがありませんでしたか？

自分という存在の特性を忘れないでください。そうすれば、行いは自然についてきます。1日5分でもかまいません。自分が本当に好きなことに使ってみましょう。それが新しい人生と輝く未来に続く扉へとつながります。扉はすでに目の前にあり、あなたの手で開かれるのを待っています。

最初の一歩は何でしょうか？　じつは、あなたはすでに夢に向かって歩き出しています。今度はそれを目に見える形にしましょう。

「今の私が、どのように変わるのを見たいですか？」

　ハイヤーセルフにこのような質問をして、もたらされる答えに耳を傾けましょう。

　そして、ハイヤーセルフがもたらしてくれる答えを信じてください。それに従いながら、あなたの人生の目的が記された道を一歩一歩進んでいきましょう。楽しんでください！

ドリーン・バーチュー

＜大天使アリエル＞

＝専門分野＝

自然とのつながり、動物、自然の精霊（妖精など）

物質世界的な必要性の実現

環境・動物保護に関する仕事に対する導き

＝光輪の色＝

薄いピンク

＝宝石＝

ローズクォーツ

＝司る星座＝

おひつじ座 ― 光、気ままで楽しげな魂

＜大天使アズラエル＞

＝専門分野＝

家族を亡くした人々への癒し

精神世界へ入る魂を助ける

グリーフ（遺族の悲しみを癒す）カウンセラーへの協力

＝光輪の色＝

クリームホワイト

＝宝石＝

イエローカルサイト

＝司る星座＝

やぎ座 ― 生と死を見つめるヒーラー

＜大天使チャミュエル＞

＝専門分野＝

世界と個人の平和、なくしたものを探す

＝光輪の色＝

薄い緑

＝宝石＝

蛍石

＝司る星座＝

おうし座 ― 探しものを必ず見つけ出す

＜大天使ガブリエル＞

＝専門分野＝

重要で明確なメッセージの伝達

伝えることを職業とする人々の守護
（教師、作家、俳優、アーティストなど）

受胎や出産、養子縁組を含める子育て全般

＝光輪の色＝

赤銅色

＝宝石＝

銅

＝司る星座＝

かに座 ― 子どもを育む勤勉な親

＜大天使ハニエル＞

＝専門分野＝

直感や霊能力を目覚めさせ、それを信頼させること

古い思いの解放、女性の心身に関わる健康問題の解決

＝光輪の色＝

薄い青（月光の色）

＝宝石＝

ムーンストーン

＝司る星座＝

すべての星座を見守る

＜大天使ジェレミエル＞

＝専門分野＝

ビジョンの理解

クレアボヤンスと霊能力を育み、理解させること

将来のあり方に活かすために人生を見直させること

＝光輪の色＝

深紫

＝宝石＝

アメジスト

＝司る星座＝

さそり座 ― 物陰で真実を語る者

＜大天使ジョフィエル＞

＝専門分野＝

思いと感情を美しくし、高める

人生の障害物を浄化する

＝光輪の色＝

濃いピンク

＝宝石＝

ルベライト、濃い色のピンクトルマリン

＝司る星座＝

てんびん座 — 美と秩序を愛する者

＜大天使メタトロン＞

＝専門分野＝

神聖幾何学、癒し

〝タイム・ワープ〟を含むエネルギー感覚が鋭敏な人を支える
（インディゴチャイルドやクリスタルチャイルドなど）

＝光輪の色＝

紫と緑

＝宝石＝

ウォーターメロン・トルマリン

＝司る星座＝

おとめ座 — 勤勉、熱心、創造力、好奇心、完全主義

＜大天使ミカエル＞

＝専門分野＝

守護、勇気、自信、安全、人生の目的への導き

機械・電子機器の修理

＝光輪の色＝

深紫、深い青、金

＝宝石＝

スギライト

＝司る星座＝

すべての星座を見守る

＜大天使ラギュエル＞

＝専門分野＝

誤解から生じる口論の癒し、協調

新しい魅力的な友人を集めること

＝光輪の色＝

薄いブルー

＝宝石＝

アクアマリン

＝司る星座＝

いて座 ― 社会性に富んだ調停者

＜大天使ラファエル＞

＝専門分野＝

人間や動物に対する癒し、ヒーラーへの教育と開業の導き

旅人の守護と導き、ソウルメイトとの出会い

＝光輪の色＝

エメラルドグリーン

＝宝石＝

エメラルド、マラカイト

＝司る星座＝

すべての星座を見守る

＜大天使ラジエル＞

＝専門分野＝

森羅万象の秘密の理解、前世の記憶と癒し

夢判断をはじめとする聖なる英知の理解

＝光輪の色＝

虹色

＝宝石＝

水晶

＝司る星座＝

しし座 ― 七色の虹と明るい光

＜大天使サンダルフォン＞

＝専門分野＝

神と人間の間で祈りとそれに対する答えをやりとりする

ミュージシャンに対する守護と導き

＝光輪の色＝

ターコイズブルー

＝宝石＝

ターコイズ

＝司る星座＝

うお座 — 芸術家肌の夢想家

＜大天使ウリエル＞

＝専門分野＝

知的なものごとの理解、会話、アイデア、洞察力

ひらめき、学業、学校、試験、文章を書くこと、話すこと

＝光輪の色＝

黄色

＝宝石＝

琥珀

＝司る星座＝

みずがめ座 — 思索家、分析家

＜大天使ザドキエル＞

＝専門分野＝

試験のための事実や数字の暗記、つらい思い出を癒すこと

持って生まれた聖なる資質と役割を思い出させること

許す心を持たせること

＝光輪の色＝

インディゴブルー

＝宝石＝

ラピス・ラズリ

＝司る星座＝

ふたご座 ― 社会性に富み、労を惜しまず仕事をこなす者

著者／ドリーン・バーチュー

四代続く形而上学者の家系に生まれる。著書は『チャクラ クリアリング』『デイリーガイダンス』『ドリーン・バーチューのフラワーセラピーガイドブック』(以上、JMA・アソシエイツ)、『エンジェル・ヒーリング』(ダイヤモンド社)など多数。『エンジェルオラクルカード』『大天使オラクルカード』(JMA・アソシエイツ)を含めた商品が日本をはじめ世界各国で発売されている。特殊能力の持ち主で天使や妖精、アセンデッドマスターなどの聖なる存在と対話することができる。カウンセリング心理学博士として、さまざまな医療施設で勤務した経験もある。
日本語公式サイト　http://doreen.jp/

訳者／宇佐 和通

1962年東京都生まれ。東京国際大学卒。米国南オレゴン大学にてビジネスコース修了。ホテル、商社、通信社等の勤務を経て翻訳家・ノンフィクションライターとして独立。訳書に『エンジェルセラピー』『天使のガイダンス ベストセレクション』『チャクラ クリアリング』『デイリーガイダンス』『ラファエルの奇蹟』(以上、JMA・アソシエイツ)などがある。

エンジェルセラピーハンドブック

2011年7月15日　第1刷発行
2018年10月15日　第10刷発行

著　者　ドリーン・バーチュー
訳　者　宇佐 和通

装丁デザイン　ホノカ社(松本 奈月)

発行人　一ノ瀬 裕樹
発　行　株式会社JMA・アソシエイツ ステップワークス事業部
〒141-0031
東京都品川区西五反田 2-23-1 スペースエリア飯嶋 7F
TEL.03-5437-2780 FAX.03-3779-6177
印刷所　大日本印刷株式会社

ISBN 978-4-904665-28-2 C0011 1800E

THE ANGEL THERAPY HANDBOOK
by Doreen Virtue Ph.D.

Japanese translation published by arrangement with Hay House UK Ltd.
through The English Agency (Japan) Ltd.